D0297729

Openbare Bibliotheek
Osdorp
Osdorpplein 16
1068 EL Amsterdam
Tel.: 610.74.54
www.oba.nl
afgeschreven

Geluksblind

Bezoek www.awbruna.nl voor informatie over al onze boeken en www.marianmudder.nl voor meer informatie over de auteur en dit boek.

Marian Mudder

Geluksblind

A.W. Bruna Uitgevers B.V., Utrecht

Omslagbeeld
Trinette Reed/Corbis
Omslagontwerp
Bloemendaal & Dekkers

ISBN 978 90 229 9573 0
NUR 301

Dit boek is gedrukt op papier dat het keurmerk van de Forest Stewardship Council (FSC) mag dragen. Bij dit papier is het zeker dat de productie niet tot bosvernietiging heeft geleid. Een flink deel van de grondstof is afkomstig uit bossen en plantages die worden beheerd volgens de regels van FSC. Van het andere deel van de grondstof is vastgesteld dat hiervoor geen houtkap in de laatste resten waardevol bos heeft plaatsgevonden. Daarom mag dit papier het FSC Mixed Sources label dragen. Voor dit boek is het FSC-gecertificeerde Munkenprint gebruikt. Dit papier is 100% chloor- en zwavelvrij gebleekt en wordt geleverd door Arctic Paper Munkedals AB, Zweden.

Voor M.

Een grote passie moet men volgen tegen elk beter weten in.

– Hugo Claus

Alice laughed. 'There's no use trying,' she said: 'one can't believe impossible things.'
'I daresay you haven't had much practice,' said the Queen. 'When I was your age, I always did it for half an hour a day. Why, sometimes I've believed as many as six impossible things before breakfast.'

– Lewis Carroll

1

EEN BOTERHAM MET HAGELSLAG

Hij stond, slechts gekleed in een Lacoste-shirt, voor het raam zijn nagels te knippen. Ze sprongen vrolijk in het rond. Dat was de dag dat ik wist dat ik bij hem weg zou gaan. Alle weerzin die ik jarenlang had weggeslikt, kwam nu bovendrijven.

Als ik een paar dagen later tijdens een van zijn driftbuien vrij zicht heb op een half vermalen boterham met hagelslag, barst ik van walging spontaan in tranen uit.

Visuele mishandeling. Zou daar weleens onderzoek naar zijn gedaan? En naar de desastreuze gevolgen voor een huwelijk?

Er moest iets bestaan wat beter was. Luchtiger. Vreugdevoller. Steeds vaker had die gedachte zich aan me opgedrongen.

’s Nachts bad ik om een man en voor de gelegenheid geloofde ik even heel hard in God. Ik wilde een andere man. Een man die me gelukkig zou maken. *And until then I’ll suffer* zong ik met veel gevoel voor drama mee met Bettye Lavette.

Waarom ik niet eerder mijn biezen heb gepakt? Ik dacht dat ik niet beter verdiende. Dat ik niet beter kon krijgen. Dat er niets beters mogelijk was. Omdat ik vond dat je beter af was met een slechte relatie dan zonder relatie. Ik was als de dood om alleen te zijn, zonder iemand om van me te houden. Want hij hield wel van me. Op zijn manier dan. En voor die paar schouderklopjes had ik alles over. Mijn seksleven, mijn eigenwaarde. Alles moest eraan geloven als er maar iemand van me hield.

Om te kunnen ontsnappen ben ik een geheime tunnel gaan graven. Het wachten op het goede moment was begonnen. Het moment waarop ik mezelf het groene licht zou geven om gelukkig te worden.

2

TROOSTETEN

Wanneer ik het terras van 't Blauwe Theehuis op loop, zie ik Janine met een grote, donkere zonnebril achter een krant zitten.

'Is het zo erg?' vraag ik, terwijl ik schuin achter haar bril naar de donkere kringen onder haar ogen kijk.

'Een paar dagen alleen maar water drinken, dan gaat het wel weer,' bromt ze met een whiskystem.

'Nieuwe verovering?'

'Een onenightstand. Oorverdovend saai, maar wel lekker in bed.'

Ik bestel een espresso en een stuk appeltaart met extra slagroom.

'Troosteten?' vraagt ze, terwijl ze me onderzoekend aankijkt en haar hand op mijn arm legt. Mijn ogen beginnen te prikken en mijn kin begint te trillen.

'Hier.' Ze geeft me haar zonnebril. De tranen rollen meteen over mijn gezicht. De onderkant van de bril drukt op mijn wang en is al snel gevuld met een laagje water. Janine tilt hem even op om het water weg te laten lopen. Al snotterend begin ik te grinniken.

'Als je de humor verliest, verlies je alles,' merkt Janine laconiek op. 'Vertel.'

Ik snuit mijn neus in een servetje. 'Hij heeft een ander.'

'Fijn voor hem. Hoe lang al?'

'Al een hele tijd. Hij had gezegd dat het over was. Maar dat is dus niet zo.'

'Wie is het?'

'Geen idee. Iemand van de zaak.'

'Godjezuschristus, wat een cliché.'

'Ja, nogal,' mompel ik bedremmeld. 'Nieuwe receptioniste op de zaak en het was meteen vlam in de pan.'

De vlam die er bij ons allang uit is. Wij zijn jaren geleden al in het sudderstadium terechtgekomen. Toen had ik al moeten vertrekken, maar dat vond ik zielig voor hem. Zo maakte ik mezelf wijs. In werkelijkheid was ik natuurlijk te schijterig. Alleen-zijn is ook zo sneu. Het idee dat ik daarna enorm gelukkig met iemand anders kon worden, is nooit bij me opgekomen. Weggaan bij Marc betekende in mijn hoofd vooral: ... en ze leefde nog lang en ongelukkig als alleenstaande vrijgezel... Dat vond ik geen optie. Dus sudderde ik door. Ik ben niet zo goed in het denken in mogelijkheden. Ik ben meer iemand die denkt in problemen.

'Hoe ben je erachter gekomen?'

'Gewoon,' zeg ik, terwijl ik wat appeltaartkruimels van mijn schoot veeg.

'Hoe gewoon? Lipstick op zijn overhemd? Per ongeluk de herhalingstoets ingedrukt? Hoe gewoon? Je komt er niet "gewoon" achter dat je man vreemdgaat.'

'Hij heeft me gebeld.'

'Hij heeft je gebeld? Om te vertellen: "Schat, ik ben wat later vandaag want ik heb een ander"?'

'Nee, hij heeft me per ongeluk gebeld. Je kent het wel. Je telefoon gaat. Je neemt op, je hoort een hoop geschuifel en geroezemoes, en dan weet je: ik zit in iemands broekzak. Iemand die vergeten is de toetsblokkering aan te zetten waardoor je per ongeluk wordt gebeld.'

'Ja? Dus?'

'Dus hoorde ik dat ik in zijn broekzak zat. Terwijl hij het aan het doen was. Met meisje-vlam-in-de-pan.' Als ik het zeg word ik een beetje misselijk.

'Dat méén je niet.'

'Dat meen ik wel degelijk.'

'Tjongejonge. Die Marc. Een ander. Ik weet niet wat ik hoor. De receptioniste. Heb je haar weleens gezien?'

'Vaag. Ik schijn haar een keer gezien te hebben toen ik langskwam op de zaak. Het is zo'n bestudeerd nonchalant, blond frutselmeisje. Klein en een beetje dik, geloof ik.' Maar misschien heb ik haar in gedachten klein en dik gemaakt, om haar ongevaarlijk te maken, dat kan ook.

'Goh. De clichés stapelen zich op. Valt er nog iets bijzonders te melden?'

'Ze is heel goed in het verschonen van dekbedden.'

'Het verschonen van dekbedden?'

'Ja, daar schijnt ze reuzehandig in te zijn, in het razendsnel verwisselen van een dekbedhoes. Dat heeft hij me tenminste verteld toen ik hem vroeg wat hij zo leuk vond aan haar. Ze was zo hándig. En ze is natuurlijk heel goed in bed en doet alles waar ik geen zin meer in heb.'

'Tja, met een actief seksleven is het razendsnel kunnen verschonen van een dekbedhoes een welkome eigenschap,' merkt Janine droogjes op.

Waarom is het moeilijker om een eind te maken aan een liefdeloos huwelijk dan aan een huwelijk uit liefde? Omdat het liefdeloze huwelijk uit wanhoop wordt geboren, terwijl een huwelijk uit liefde vrijwillig tot stand komt.

– Erica Jong

3

LET ME TELL YOU HOW IT STARTED

Goed beschouwd zou ik blij moeten zijn. Het wordt allemaal voor me geregeld. Ik ben vrij om te gaan. Mooi. Hartstikke fijn. Leuk bedacht. Maar op dit moment kom ik niet verder dan woede. De gotspe dat hij me heeft belazerd! Dat hij me heeft verteld dat het niet meer dan een losse flodder was! 'Het heeft niets te betekenen, schat. Sorry, schat. Het zal niet meer gebeuren, schat.' Hij hield immers van mij. Mannen moeten nou eenmaal af en toe een ander bloempje bevruchten. Dat is biologisch zo bepaald. Daar konden ze niks aan dóén. Het had allemaal niets om het lijf, en ik geloofde het nog ook. De Lamzak. De Lafbek. Met zijn minderwaardigheidscomplex dat hij probeerde weg te neuken. Want dat moest het wel zijn, een typisch geval van een man op zoek naar bevestiging. Hij gaat zijn gang maar!

Maar het meest woedend ben ik op mezelf, omdat ik diep in mijn hart weet dat er iets anders aan de hand is. Diep in mijn hart weet ik dat ik doodsbang ben. Doodsbang om alleen verder te gaan en om alleen te blijven. Mijn moeder heeft me net iets te vaak op het hart gedrukt dat ik in mijn handen mocht knijpen met deze man. 'Weglopertjes zijn doodlopertjes'. Haar tegeltjeswijsheden hebben hun sporen achtergelaten. Als iets maar vaak genoeg tegen je gezegd wordt, ga je het vanzelf geloven.

Die affaire interesseert me niet eens zoveel. Mijn liefde voor Marc is de laatste jaren zo ver afgesleten dat ik hem zijn affaires gunde. Wel zo rustig voor mij.

Er zitten voordelen aan een liefdeloos huwelijk. Familie en vrienden zijn gerust, want je bent onder de pannen; een treurig bestaan als vrijgezel blijft je bespaard. En je hebt altijd iets te doen met kerst.

Voor ik met Marc trouwde, kuste ik vele kikkers. Janine noemde me een sukkelmagneet. 'Ik heb geen goud en geen juwelen voor het meisje waar ik veel van hou, maar ik heb mooie luchtkastelen en die zijn allemaal voor jou,' zong mijn eerste serieuze verkering. En daarmee was niets te veel gezegd. Luchtkastelen. Vrijbuiters met bindingsangst. Rokkenjagers die op mijn vader leken. Een gesjeesde student met schulden of een muzikant met een alcoholprobleem. Het bohemienachtige type. Het was in elk geval altijd een probleemgeval, bij wie ik me op raadselachtige wijze verantwoordelijk voelde en bij wie ik de kans schoon zag om me te ontpoppen in Florence Nightingale.

Marc was heel anders; een hockeyjongen met een veelbelovende toekomst. Van hevige verliefdheid is nooit sprake geweest. Liefde? Líéfde? Dat is zo'n achterhaald begrip, kindje. Liefde is luxe. Een geschíkte partner. Een góéde partij. Een verstándige keuze. Daar gaat het om. Zekerheid. Dáár gaat het om. Iemand met wie je thuis kunt komen. Representatief, degelijk en betrouwbaar. Met een goede baan en een waardevast pensioen.

We leerden elkaar kennen tijdens een zeiltochtje met vrienden waarbij ik kotsmisselijk in de kajuit lag. Hij was de enige die me niet het gevoel gaf dat ik in mijn eentje het dagje zeilen lag te verpesten. Heel lief kwam hij af en toe even bij me kijken. 'Eens maar nooit weer,' kreunde ik toen hij vroeg hoe ik me voelde terwijl hij, zonder een vies gezicht te trekken, mijn emmertje verschoonde. Een prestatie van formaat in mijn ogen.

De volgende dag liet hij een grote bos bloemen bezorgen in de kunstgalerie waar ik werkte. Het maakte indruk. Ik geef het toe. Hij las gedichten voor van J.C. Bloem, een belachelijke dichter, maar toch. Op ons eerste afspraakje liet hij een cd van Gordon horen, wat op zich een redelijk onschuldig vergrijp is, maar hij zei erbij dat het de mooiste plaat óóit gemaakt was. Dat had natuurlijk voldoende moeten zijn om meteen naar de nooduitgang te rennen. Hij leidde me rond in zijn Amsterdam-Zuidpand en vertelde achteloos welk bedrag op zijn bankrekening stond. Apenrotsgedrag. Maar het voelde wel veilig en dus liet ik me gewillig inpakken. De beloning van jezelf aanpassen is liefde, of wat ik ervoor aanzag. Ik verwarde schuldgevoel met liefde. Ik verwarde angst met liefde. Ik verwarde van alles met liefde.

Volgens Janine was ik 'broeds naar maatschappelijk aanzien'.

Misschien was dat ook wel zo. Hongerig naar bevestiging van mijn omgeving duwde ik het weerbarstige kind in mij weg. Het kind met grote dromen, dat hutten bouwde, in bomen klom en jongensboeken las over rovers en onbewoonde eilanden. Het kind met grote dromen werd een keurig meisje dat deed wat haar gezegd werd. En trouwde met Marc.

Het was een mooie dag. Iedereen stond te juichen. De zon scheen. Er werd met rijst gegooid. Iedereen was blij. Alleen nog moeder worden, de hoogst haalbare status als vrouw, dan was ik gelukt in de ogen van mijn omgeving. We stevenden in hoog tempo af op een alles-in-orde-plaatje. Terwijl Marc zijn huwelijksgelofte aflegde, piepte een stemmetje heel diep in mij, dat ik moest wegrennen. Maar ik deed het niet. Blijkbaar kan dat. Ergens in je hoofd is een verkeerde wissel omgegaan waardoor je wel hoort, maar niet luistert.

Tijdens het jawoord rolden de tranen over mijn wangen. Ik buitelde heen en weer tussen opluchting en wanhoop. Ik droeg een lichtgroene jurk, dat leek me toepasselijk. Ik was immers zo groen als gras wat betreft het huwelijk. Na de plechtigheid werd op mijn verzoek *Absolute Beginners* van David Bowie gedraaid. Tijdens dit nummer werd de bruidstaart aangesneden. Het was warm. De taart had te lang in de zon gestaan. Het mes had de taart nog niet geraakt of hij zakte langzaam door zijn zuiltjes. De bovenste etage van de taart viel op zijn kant en het plastic bruidspaar zakte weg in de slagroom. Iedereen lachte.

Op de wc heb ik een paar minuten mijn emoties de vrije loop gelaten en overwogen om alsnog de kuierlatten te nemen. Bij gebrek aan ideeën over waar de reis naartoe moest gaan, ben ik terug het feestgedruis in gewandeld, met zwarte mascarastrepen op mijn gezicht. Je bent een *drama queen* of niet natuurlijk. Niemand keek ervan op. Alle tranen zijn gelukstranen op zo'n dag als deze.

Tijdens een van de speeches werd gezegd dat het de droom van ieder meisje was om te trouwen. *For a split second* heb ik gedacht dat het over iemand anders ging. Ik heb nooit gedroomd van een trouwdag. Mijn dromen waren van een heel ander soort: op een paard in galop over een Zuid-Amerikaanse pampa was er zo een. Een relatie met een man van wie ik met heel mijn hart en ziel hield, bij wie ik me volledig kon ontspannen, met wie ik vreselijk kon lachen en ook nog eens lekker kon vrijen was er nog een.

Eén droom is wel uitgekomen. De wens om geen kinderen te krijgen. Eeuwenlang hadden vrouwen geen keus. Ik ben een van de eerste generaties vrouwen die kon kiezen voor een kinderloos bestaan. Alleen daarom al leek het me de moeite waard. En zolang er nog kinderen worden vermoord en vrouwen worden verkracht, voel ik geen enkele behoefte om mijn bijdrage te leveren aan het voortbestaan van de menselijke soort. Bovendien heb ik het altijd oneerlijk gevonden dat een vrouw zwanger kan worden zonder klaar te komen. Een man heeft tenminste een beetje lol gehad voor de ontvangenis, maar bij een vrouw is dat nog maar de vraag. We hebben het wel geprobeerd. Een tijdje. In het begin, toen ik er nog het beste van wilde maken. Maar het leek alsof deze stille, diepe wens mijn lichaam in een ijzeren greep hield. Of mijn lichaamssappen waren hem zo vijandig dat zijn zaad er spontaan van achteruit ging zwemmen, dat kan ook.

Naarmate ons huwelijk verslechterde ben ik stiekem de pil gaan slikken, voor de zekerheid. Voor het geval mijn lichaam opeens van gedachten zou veranderen of zou gaan luisteren naar een grote, geheimzinnige biologische klok. Ik praatte er zo min mogelijk over. Het was ook geen grote wens van Marc. Hij wilde kinderen omdat het hoorde, omdat zijn ouders het graag wilden, zodat onze spruiten konden worden bijgezet op de schoorsteen, bij de rest van het nageslacht. Het was iets waarvan hij dacht dat het vanzelf zou gebeuren. Maar het gebeurde niet. En dat vond hij ook best.

En nu krijg ik de kans van mijn leven om bij hem weg te gaan zonder met een levensgroot schuldgevoel rond te hoeven lopen. Dit is mijn kans hem de zwartepiet toe te kunnen spelen. Dit is mijn kans om mijn vrienden, die hem 'zo'n toffe peer' vinden, van mijn gelijk te overtuigen. Want zomaar weggaan bij zo'n toffe peer wordt je niet in dank afgenomen, natuurlijk. Leg dat maar eens uit. Die toffe peer met wie ik het zo enorm getroffen heb, met het mooie huis en het riante inkomen, die leuke kerel, die na elk glas bier leuker wordt, en luidruchtiger. Mijn vrienden lopen met hem weg. Maar zij hoeven ook niet met hem samen te leven. Zij trekken de deur achter zich dicht na een avondje gezelligheid.

Ik kan natuurlijk de mantel der liefde, samen met een stel enorme oogkleppen, uit de mottenballen trekken en lekker doorhobbelen alsof er niets is gebeurd. Dat heb ik immers jaren gedaan. Maar vandaag is alles anders. Is het vanwege Lisettes zelfmoord drie maanden geleden, dat de schellen me van de ogen zijn gevallen en dat het me opeens helder voor de geest staat dat léven zich niet laat uitstellen? Als ik niet zo godvergeten bang was, zou ik heel hard wegrennen om de rest van mijn leven te ontdekken, zonder hem. Al was het alleen maar om mezelf een kans op echt geluk te gunnen.

4

NEEM EEN MINNAAR, DAN BEN JE OVERAL VAN AF

Thuisgekomen sta ik een halfuur onder de douche en borstel de huid van mijn benen en billen zacht, waarna ik mezelf insmeer met een bloemenolie die de veelbelovende naam Cleopatra draagt. Olie waarin parels zijn opgelost voor een onweerstaanbare glans, zo belooft de bijsluiter. Met een vleugje slangengif, denk ik er vinnig bij. Zeer toepasselijk voor de gelegenheid. De olie zou een afrodisiacische werking hebben. Met veel Bulgaarse roos, die een onweerstaanbare aantrekkingskracht op mannelijke bijtjes heeft. *De dar (mannetjesbij) heeft geen angel en kan niet steken. De werkster heeft een angel en kan wel steken,* stond er in Het Groot Niet-Te-Vermijden-Natuurboek van mijn vader. Ik herinner me het nog goed. Mijn vader was ook zo'n rondzoemende bij. Hij was dierenarts en schreef kinderboeken. Liever was hij een excentriek schrijver en ontdekkingsreiziger geweest. Een soort Hemingway, met veel vrouwen en veel drank. Dat die man liederlijk aan zijn einde is gekomen, laten we even achterwege. Het gaat om de details. We dromen allemaal van een beter leven. Maar alles heeft een keerzijde en die dromen we er niet bij.

Ik trek een lichtblauwe velours jurk met oranje bloemen uit de kast, een echte vintage Betsey Johnson. De jurk kleurt mooi bij mijn haar en nog belangrijker: het geheel camoufleert en accentueert mijn figuur op de juiste plekken. Een *must have* voor iedere vrouw. Vooral wanneer ze in volle vaart bedrogen wordt.

Alweer bloemen, bedenk ik. Hoe freudiaans kan het worden? Wil ik hem verlaten of verleiden? Ik kan niet helder denken en vertrouw voor de verandering maar eens volledig op mijn instinct. Ik werp een kritische blik in de spiegel. Kan ik op tegen een dom blondje van begin dertig? Hè, dat is nou onaardig van me, om haar een dom blondje te noemen. Dat is een fout die vrouwen altijd maken. Ze leggen de schuld bij de minnares en niet bij hun eigen man. Niet eerlijk en ik zou beter moeten weten. Maar vooralsnog trek ik het liefst al die blonde haren uit haar domme hoofdje. Hij is van mij, van mij, van mij en ook al hou ik niet meer van hem, dan nog moet ze met haar tengels van hem afblijven. Waarom ben ik, van alle affaires die hij heeft gehad, uitgerekend zo woedend over deze? Is het omdat ik me voor het eerst bedreigd voel in mijn positie of omdat ik nu voor de keus word gesteld weg te gaan? Mijn leven staat op het punt van kapseizen. *Don't rock the boat* begint te spelen in mijn hoofd. Hè get, dat heb ik nou altijd. Ik heb een jukebox in mijn hoofd en bij de geringste associatie wordt een bijbehorend liedje opgezet. Daar zit ik dan de komende uren mee in mijn hoofd. Lekker is dat. Of is het een teken? Een boodschap van mijn onderbewuste dat ik de boel de boel moet laten. *Don't rock the boat, don't tip the boat over.*

'Wat haal je jezelf op de hals?' Ik hoor het mijn moeder zeggen. 'Neem een minnaar, dan ben je overal van af.' Tja, dat is wat zij heeft gedaan. Ze heeft de escapades van mijn vader jarenlang minzaam gadegeslagen. En aan het einde van zijn leven, tegen de tijd dat hij hulpbehoevend werd, had ze eindelijk het lef om zelf een minnaar te nemen uit voorzorg om niet alleen te blijven. De buurman nota bene. Een weduwnaar, die ze vakkundig heeft ingepakt. Een talent waar ze mijn genen helaas niet mee heeft belast. Op de dag van de begrafenis van mijn vader heeft ze keurig voor het oog van de familie de intens treurende weduwe uitgehangen om nog diezelfde middag, in een vrolijke bloemetjesjurk, thee te serveren aan haar dochter. Verdriet, dat was niks voor mijn moeder. De mij aangeboren melancholie is haar vreemd. Ik lijk meer op mijn vader dan ik wil toegeven.

5

SALIEBLAADJES EN WODKA LIME

Als Marc thuiskomt, ben ik net een bosje gedroogde salieblaadjes aan het branden, die ik heb gekregen van mijn buurvrouw annex zelf uitgeroepen natuurtherapeute, Tinke. De rook van de smeulende blaadjes moet de energie in huis reinigen. Radeloze woede doet gekke dingen met een mens. Maar alles beter dan met het servies gooien of met volle potten mayonaise, dat geeft alleen maar een hoop rotzooi. En tien tegen een dat ik er de volgende dag spijt van heb. Dus dan maar de hens in een bosje gedroogde salieblaadjes.

'Wat is dat godverrrdomme voor stank?' klinkt de allerhartelijkste begroeting van Marc. Ik hou niet van vloeken. Marc vloekt altijd, Marc moppert ook altijd. Ik ben het gewend. Ik loop altijd op mijn tenen en ben altijd op mijn hoede voor een driftaanval. Daar kan hij niks aan doen, de spanning moet er even af. Als de stress er eenmaal af is, is hij best lief. Je moet er even doorheen. Maar het kan ook tactiek zijn; hard blaffen om de vijand op afstand te houden. Misschien rúíkt hij het gevaar.

'Ongelukje, het trekt zo weg.' Ik zet snel een raam open, wapper de rook weg en pak een blikje bier uit de koelkast. 'Biertje?' vraag ik met een stralend gezicht alsof ik een balletje omhooghou voor de hond, blij gekwispel gegarandeerd.

'Ja, lekker,' staartzwaait Marc lauwtjes.

'Wat ben je vroeg thuis!' informeer ik zo laconiek mogelijk. 'Knerpende koppijn,' is het antwoord terwijl hij zich met een plof op de bank laat vallen, de afstandsbediening binnen bereik.

Ik maak geen opmerking over dat televisiekijken misschien niet zo goed is als je hoofdpijn hebt. Ik ben lang geleden opgehouden iets te veranderen of te verbeteren aan deze man. Dat is veel beter voor de sfeer in huis en veel beter voor mijn zielenrust. Zo kom ik nog eens aan mezelf toe. 'Het is beter om je op jezelf te concentreren, je kunt de wind niet veranderen, wel de zeilen bijstellen,' zo heeft Tinke me uitgelegd. Vrij vertaald naar 'verbeter de wereld, begin bij jezelf'. Een deksels handige tip. Ik heb 'm door. En daar was ik net zo lekker mee bezig. Maar ik ben bang dat de salieblaadjesmethode toch iets te subtiel is voor wat Marc hier in huis teweegbrengt. Ik ben bang voor ruzie, ik ben er nooit goed in geweest. Ik ben op en top vrouw, verslaafd aan harmonie. En dat heeft niets te maken met de harmonie die ik in mezelf gevonden zou hebben. Ik ben een vat vol wisselende emoties en grillen. Daarom wil ik zo veel mogelijk harmonie aanbrengen in de buitenwereld, anders is de chaos helemaal niet meer te overzien. Misschien moet ik niets zeggen en gewoon vertrekken. Een briefje op de koelkast met BEN ZO TERUG en nooit meer terugkomen. Een klassiek geval van 'ben even een pakje sigaretten halen'.

'Het eten is nog niet klaar, ik verwachtte je nog niet thuis,' zeg ik, terwijl ik de diepvrieslasagne snel in de oven schuif.

'Ik heb stevig geluncht, ik heb geen honger.' Géén honger?! Ik voel het venijn in me opwellen en wil niets liever dan gillen: Na die krachtsinspanning van vanmiddag zul je toch op zijn minst wel trek gekregen hebben? Maar ik hou me in. Hup, inhalen dat grootzeil, we varen op de fok vandaag.

Toen mijn mobieltje vanmiddag afging en ik zag dat het Marc was die me belde, nam ik op met een guitig: 'Hallooo poepelorissie.' Een in onmin geraakt koosnaampje uit onze verkeringstijd. De zon scheen. Ik had een goede bui en de sfeer was de laatste tijd niet slecht geweest. Nu begrijp ik waarom.

Het duurde even voor ik zijn onnavolgbare gesteun herkende. Maar het waren vooral haar kreetjes die maakten dat ik meteen wist wat er gaande was. Ze spoorde hem aan, kreunde zijn naam. Het eerste wat er koelbloedig door me heen ging was: ze doet alsof. Ze wilde de indruk wekken van een bloedgeile merrie, maar in feite was ze berekenend bezig de buit binnen te halen. Mijn man. Ik wil mijn nagels uitslaan. Haar ogen uitkrabben. Zijn ogen uitkrabben. Hem uitmaken voor alles wat mooi en lelijk is. Maar ik doe het niet.

Ik wil proberen dit op een volwassen manier aan te pakken. Als ik ga gillen, verlies ik. Marc kan harder schreeuwen dan ik. Afgezien daarvan is hij advocaat en ik heb nooit geleerd een discussie met argumenten te winnen. Op die manier verlies ik het dus altijd. Als ik kwaad word, ga ik huilen. Dat is ook niet goed, dan wordt alles meteen afgedaan als 'hysterisch gezeik'. Ruzie, nee, ik ben er niet goed in. Waar ben ik eigenlijk wel goed in?

Ik ben goed in 'lief zijn'. Of moet ik zeggen in 'lief doen'? Zorgen dat het eten op tijd klaarstaat en lekker is. Zorgen dat het huis schoon en aan kant is. Ik strijk het beddengoed (maar doe er wel een eeuwigheid over om een dekbed op enigszins ordentelijke manier in de bijbehorende hoes te schuiven, dat dan weer wel) en ik zie er, wanneer Marc thuiskomt, altijd onberispelijk uit, met pareloorbellen en al. Altijd representatief voor eventuele zakenrelaties, altijd in de krul en op mijn tenen. En altijd lief. Zolang ik tenminste niet uit elkaar spat van frustratie. Zolang ik mezelf in bedwang weet te houden, gaat alles goed. Lief zijn zit diep, lief zijn is er ingehamerd, lief zijn is een overlevingsstrategie.

'Jij vindt nooit iemand om mee te trouwen, want jij bent niet lief,' zei mijn moeder als ik niet deed wat ze wilde. Wonderlijk genoeg zei ze nooit: 'Jij vindt later nooit een baan, want jij bent niet lief.' Of: 'Wij zullen later nooit goed contact hebben, want jij bent niet lief.' Het gekke is dat ze ook altijd zei: 'Jij moet verpleegster worden, want jij bent zo lief.' Hoeveel verwarring kan een kind aan? Ziedaar, de geboorte van mijn Florence Nightingale-syndroom. Zo kom je nog es wat te weten over jezelf. Het is geen wonder dat ik een doolhof heb gemaakt van mijn emotionele leven. Gek eigenlijk dat me niet geleerd is om lief te zijn voor mezelf. Dat lijkt me toch een van de belangrijkste dingen in het leven, dat je weet hoe je goed moet zijn voor jezelf. Dan kun je immers ook beter bepalen of een ander goed voor je is. Als het gedrag van een ander niet strookt met hoe je graag met jezelf omgaat, dan weet je: opzouten met die hap. Maar als je dat niet weet, zie je alle aandacht aan voor liefde. Ook negatieve aandacht. Losse handjes bijvoorbeeld, of egoïsme in bed, of driftbuien, of drank- en drugsgebruik, of een chronisch ochtendhumeur dat tot laat in de middag duurt, totdat de vijf in de klok zit en het tijd is voor een goed glas wijn: wordt het toch nog gezellig. Waarna hij om acht uur stomdronken en met open mond op de bank in slaap valt. Maar zolang er aandacht is, is er hoop. En hoop doet leven.

Ik heb een borrel nodig. Hoog tijd voor een wodkaatje.

6

ANGER IS AN ENERGY

Ik pak een van de stevige whiskyglazen die Marc ooit gekocht heeft, uit de kast. Dat drinkt lekker en er kan veel in. Ik vul het glas voor de helft met wodka en voeg er een stevige plens lime aan toe. Daar word ik lekker brutaal van. Als ik gelukkig ben, ga ik er zelfs van dansen, iets wat Marc dan weer niet leuk vindt. Hij vindt het aanstellerig. En dat is het misschien ook wel. Het uiten van emoties, daar houdt Marc niet zo van, afgezien van vloeken. Dat mag wel. En hij vindt het prima als ik terug vloek. Niks aan de hand. Maar daar hou ik dan weer niet van. Tja, zo blijf je bezig. Ik wil het zo graag op mijn manier doen. Ik wil zo graag op mijn manier getrouwd zijn en me gedragen zoals ik zelf wil in plaats van zoals Marc het graag ziet. Zal ik beginnen hem dat uit te leggen? Om daarna naadloos over te gaan in: 'En hoe was jouw dag?' Of: 'Hoe vind je zelf dat het tussen ons gaat de laatste tijd?' Dat lijkt me wel een goede openingszin. Hoe kan ik dit aangaan en me toch sterk blijven voelen? Door woest te blijven. *Anger is an energy*, zong Johnny Rotten in de jaren tachtig. Zal ik dat even opzetten? Een gezellig muziekje voor de sfeer. Ik grinnik hardop bij de gedachte.

Met twee slokken sla ik de wodka lime achterover. Daar sta ik dan in mijn super-de-luxe-alles-erop-en-eraan-keuken. Ik heb zelfs een volautomatische, compleet met verlichting, pepermolen. Zodat je zelfs in het donker goed kunt zien hoeveel peper je in het eten mietert. Op huishoudelijk gebied ben ik van alle gemakken voorzien. Ik kan niet anders zeggen. Hij is een goede provider. Ja, ik mag in mijn handjes knijpen met zo'n man. Het kan allemaal stukken slechter. Dat heb ik kunnen zien aan Lisette, die de narigheid van haar huwelijk met een werkloze, alcoholische filmmaker niet meer aankon en pillen is gaan sparen. Ze was depressief en leed aan slapeloosheid. Een welkome bijkomstigheid. De dokter schreef het ene recept na het andere uit. Ik probeerde haar over te halen om geen pillen te slikken, probeerde haar ervan te overtuigen dat ze er op een andere manier uit moest zien te komen. En inderdaad, die pillen slikte ze niet. Ze spaarde ze op om ze in één keer in te nemen en nooit meer wakker te worden. En ik denk niet dat het een roep om hulp was, ik denk dat ze écht niet meer verder wilde. Dat was een troost. De dood is alleen vervelend voor de achterblijvers. Degene die dood is, is lekker dood. Die is overal van af. Dat hoop ik tenminste, want als je sommige mensen moet geloven, bestaat er zoiets als reïncarnatie. Ik moet er niet aan denken. Ik vind het hier best leuk, maar ik hoef nooit meer terug. Ik heb het hier wel gezien. Maar het schijnt dat je daar bitter weinig over te zeggen hebt. Nu goed leven, betekent nooit meer terugkomen volgens het boeddhisme. Goed leven? Wat is dat in godsnaam? En hoe doe je dat?

Misschien heeft Marc een idee.

'Zeg, Marc,' begin ik expres bekakt zoals zijn hockeyvrienden altijd doen. Ik hoor aan mijn stem dat ik van nijd nu al lichtelijk aangeschoten ben. Ik schenk meteen een tweede glas in.

'Marc?' probeer ik nog een keer, deze keer zonder bekakt accent. Maar Marc is in slaap gevallen. Hij snurkt. Zachtjes om de buren niet te storen, want het is zo gehorig met de tuindeuren open. Daar houdt hij dan weer heel schattig rekening mee. De lieverd, de schat, de eikel, de lamlul.

Daar sta ik dan met mijn wodka met te veel lime, omdat ik hem anders niet wegkrijg, mezelf moed in te drinken. Terwijl de vijand zich van geen kwaad bewust, in een onschuldige roes heeft laten zakken. *What's wrong with this picture*? Hij heeft geen honger gekregen, hij heeft er slaap van gekregen. Ja, dat klopt. Marc valt altijd in slaap na de daad. Soms zelfs tijdens. Zij zal er misschien anders over denken, al vond ik het persoonlijk niet erg overtuigend klinken vanmiddag, maar ik heb Marc altijd een slechte minnaar gevonden. Na drie maanden verkering vond ik er al niks meer aan. Hij neukt precies zoals hij is, altijd hetzelfde. Met Marc weet je precies waar je aan toe bent. Dat was tegelijkertijd zijn charme, het maakte het leven en onze relatie heel overzichtelijk. Hij was een overzichtelijke man met overzichtelijke affaires. Heel prettig, gezien de chaos waar ik altijd mee rondliep in mijn hoofd. Elk nadeel heb z'n voordeel.

Nog maar een slok. Wat drinkt het toch lekker weg die wodka lime. Als puber dronk ik graag Pisang Ambon met jus d'orange. Daar is het mee te vergelijken. Wodka lime is Pisang Ambon voor gevorderden, maar wel een stuk hipper natuurlijk. Je maakt vandaag de dag geen goede sier als je in de Jimmy Woo om een Pisang Ambon vraagt. Dan sta je meteen weer buiten.

Waar was ik gebleven? O ja. Ik had een probleem met mijn geliefde wederhelft, de bloem in de tuin van mijn hart. Ik vraag me weleens af wat er zou gebeuren als ik hem eerlijk vertelde wat ik voor hem voel; namelijk niet zo gek veel. Wat zou er gebeuren als ik hem bijvoorbeeld vertel dat de gedachte aan fysiek contact met hem me doet walgen en hoe ik daar op slinkse wijze altijd weer onderuit kom. Ik heb zelfs migraine ontwikkeld, die enorm goed van pas komt op gezette tijden. Ons lichaam staat voor niets. U vraagt en wij draaien.

Bob, een van zijn hockeyvrienden, heeft me in een dronken bui ooit toevertrouwd hoe geweldig Marc me in bed vond, omdat ik alles deed. *Whatever that may be.* En Bob wilde weleens weten wat dat 'alles' allemaal inhield – en anders ik wel – terwijl hij zich een blik gunde in mijn bescheiden maar vrolijke decolleté. In een vlaag van onverklaarbare gevatheid flapte ik er opeens uit: 'Vanwege Marc zijn seksuele frustraties niet zo gek veel. Maar ik ben blij dat hij er blij mee is. Zelf ben ik al jaren op zoek naar iemand met wie ik alles kan doen. Maar dan wel volgens míjn definitie van alles. En wat dat is, vertel ik je een andere keer. O, en *for the record...* jij komt niet in aanmerking.' Waarna ik hem kwijlend achterliet.

Janine en ik hebben later op de grond liggen rollen van pret.

Ik laat het glas ondersteboven leeg druppelen in mijn mond. Het is tijd dat ik de simpele waarheid onder ogen zie. Ik wil gewoon niet meer getrouwd zijn met een man naar wie ik niet verlang. We gedogen elkaar en daardoor is het best gezellig, maar ondanks de goede raadgevingen van mijn moeder geloof ik niet, wil ik niet geloven dat het zo moet. Dat het zo goed is. Er moet iets beters zijn, iets mooiers, iets wat meer de moeite waard is dan dit geschipper met de waarheid. Lisette is dood. Met als voornaamste doodsoorzaak een starre volharding in een liefdeloos huwelijk. En door haar dood wil ik meer dan ooit leven, ik wil liefde. Ik moet gelukkiger kunnen zijn dan nu. En voor ik er erg in heb, zit ik op de plavuizen keukenvloer met lange uithalen onbedaarlijk te huilen.

Daar gaat mijn voornemen om niet emotioneel te worden.

7

BANGING THE BORETTI

Ik til het glas wodka op en laat het uit mijn hand vallen. Het stuitert een keer en rolt over de plavuizen. Niet kapot. Ik begin er lol in te krijgen. Ik pak het glas weer op, en een stuk verder boven de grond laat ik het opnieuw los. Deze keer spettert het in kleine vierkante stukjes uit elkaar. Veiligheidsglas. Hoe kan het ook anders? Marc heeft glazen van veiligheidsglas gekocht. Hij moet een vooruitziende blik hebben gehad.

Maar het werkt. Hét wordt zowaar wakker.

'Isabelle?' klinkt de slaperige stem van Marc.

'Jaaah?' antwoord ik lijzig. Mijn stem klinkt alsof ik snipverkouden ben. Mijn hoofd bonkt en mijn ogen zijn gezwollen.

'Wat was dat?'

'Dat was mijn glas wodka, dat zomaar opeens uit mijn handen gleed, lieverd.'

Ik spreek elk woord uit met veel aandacht voor de articulatie om te verhullen dat ik aangeschoten ben.

'Alles goed?'

Ik spits mijn oren en nee, er klinkt niet reuzeveel interesse door in die vraag. Deze vraag zit in dezelfde categorie als 'is er brand of kan ik doorslapen?' Daar hebben we dus niks aan.

'Ik hoorde zo'n raar geluid. Je was toch niet aan het huilen?'

'Nee hoor,' lieg ik erop los. 'Een beetje maar. Ik moest even aan Lisette denken.'

'Ach ja, ellendige toestand.' Hij drinkt zijn glas leeg en zet het met een klap op tafel.

'Is het eten al klaar? Ik begin nu wel trek te krijgen.'

Plotseling detecteert mijn neus een brandlucht. Ik trek de deur van de oven open en een zwarte walm komt me tegemoet. Oeps.

'De lasagne is verbrand, poepje.'

'Niks voor jou,' antwoordt Marc afwezig, terwijl ik hoor hoe hij langs alle kanalen zapt op zoek naar voetbal.

'Nee, niks voor mij. Maar voor alles is een eerste keer,' mompel ik voor me uit en ik begin te grinniken. Ik krabbel op. Een beetje duizelig zoek ik steun aan het kookeiland. Ik kijk naar de zappende Marc. Ik zie hem warempel twee keer! Op een lege maag komt zo'n halve fles wodka hard aan. Ik hou mijn hand voor één oog en tuur de kamer in. Ik heb weer normaal beeld. Marcs haar staat alle kanten op en in zijn wang zit een diepe slaapvouw. Zijn shirt hangt uit zijn broek, waardoor ik zicht heb op zijn beginnende bierbuikje. Hij heeft zijn voeten op tafel gelegd. De man is de ontspanning zelve. Het tukje heeft hem goed gedaan. Hij kijkt me grijnzend aan.

'Heb je iets in je oog?'

'Ja!' Ik knik verwoed. 'Al een tijdje. En dat ga ik er nú uit halen. Zeg, lieverd, schat, droppekindje van me, ruim jij deze troep hier even op? Dan ga ik naar boven.'

'Welke troep?'

'Deze troep, hier.' Ik maak een iets te wijd gebaar om de gevarenzone aan te duiden.

'Ik heb een glas uit mijn handen laten vallen en nu liggen hier allemaal scherven. Heel gevaarlijk voor die poezelige kousenvoetjes van je. Als jij dat nou even opruimt, dan ga ik mijn koffer pakken. Die schítterende appeltjesrode nep-Louis Vuitton, die ik laatst op de Albert Cuyp voor een habbekrats heb gekocht. Niet van echt te onderscheiden, net als die act van vanmiddag, die was ook niet van echt te onderscheiden.' Ik laat een korte pauze vallen en kijk hem strak aan.

'Ik ga bij je weg.' Zo. Dat is eruit.

Nooit eerder heb ik Marc zó *stupéfait* zien kijken.

'Waar komt dit opeens vandaan?'

'Uit jouw mobieltje vanmiddag. Eva, ik ga er voor het gemak even van uit dat het hier om Eva je beminnelijke dekbedhoezepoes gaat, Eva heeft, gehéél per ongeluk natuurlijk, tijdens jullie oefening in ritmische gymnastiek tegen je mobieltje geschopt. In je broekzak welteverstaan. En zo heb ik getuige kunnen zijn van jouw stevige lunch. En dus ga ik bij je weg. Daar is toch niks geks aan? Het zal es tijd worden, zeg!' voeg ik eraan toe en ik begin te gieren van het lachen. Het zullen de zenuwen wel zijn, of de ontlading.

'Dat meen je niet!'

'Dat meen ik wel degelijk! Waarom vraagt iedereen de hele dag aan me of ik iets meen? Ik meen altijd wat ik zeg. Zeg ik ooit iets wat ik niet meen?'

'Je bent dronken.'

'Ik ben een beetje aangeschoten. Ja. MAG HET?!' Ik schrik er zelf van. Mijn stem klinkt minstens een octaaf lager, met veel volume. Het is een vol en dreigend geluid dat ik niet ken van mezelf.

Marc doet onwillekeurig een stapje terug.

'Rústúg,' zegt hij bezwerend, alsof ik met een slagersmes in de aanslag voor hem sta.

'Niks rustug,' basbariton ik terug.

Ik ben in één klap broodnuchter. Het is alsof er een klep wordt opengedaan waarachter mijn woede zich jarenlang heeft opgehoopt, die er nu in één ononderbroken stroom van heldere bewoordingen uitkomt. Beheerst, zonder tranen, zonder chaos. Het is een wonder boven wonder.

'Er is veel voor nodig om me kwaad te krijgen. En met kwaad bedoel ik kwaad zonder dat ik me daar tegelijk schuldig over voel. Kwaad zonder dat ik bang ben iets KAPOT te maken. Maar dáár hoef ik me gelukkig geen zorgen meer over te maken, want ik ben nu op een punt gekomen dat ik ALLES kapot wil maken.'

Ondertussen heb ik een koekenpan bij de steel gepakt, waarmee ik met volle kracht op het gietijzeren rooster van ons prachtige Boretti-fornuis sla.

Tot mijn stomme verbazing heb ik het gietijzeren rooster met één klap in tweeën geslagen. Ik ben de Hulk geworden.

Marc staat doodstil midden in de kamer.

Ik wankel even op mijn benen. Ik kijk van het fornuis naar Marc en weer terug en mompel: 'Goh.'

'Isabelle, doe nou even rustig. We kunnen er toch over praten?' Nu begin ik te krijsen.

'PRATEN! NU WIL MENEER PRATEN. OP HET MOMENT DAT IK ZOVER BEN DAT IK DE BOEL KORT EN KLEIN BEGIN TE SLAAN, WIL HIJ EINDELIJK PRATEN.'

Ik hap naar adem en sta te trillen op mijn benen. Ik hou mijn gezicht in mijn handen en probeer rustig te worden.

'Ik ga naar boven.'

'Isabelle!'

Ik ren de trap op naar de slaapkamer en trek de nep-Louis Vuitton uit de kast, mijn oren gespitst op geluiden van mijn man, die me wellicht achternakomt.

Ik hoor niets. Dat maakt me nóg bozer.

Behalve lief ben ik ook heel netjes en alles wat ik graag draag, hangt bij elkaar, dus mijn koffer is snel gepakt. En gelukkig ben ik nog net helder genoeg om me te realiseren dat het niet verantwoordelijk is om nu te gaan rijden. Door de adrenaline ben ik dan wel weer nuchter, maar de alcohol zit nog in mijn bloed. Een levensgevaarlijke mix. En ik heb geen zin om nu domme dingen te doen. Ik ben net zo lekker bezig. Zul je altijd zien. Rij je met je adrenalinecocktail in een fuik.

'Wilt u even blazen?'

'Maar natuurlijk, agent.'

En voor je het weet blijk je een promillage van 1,8 te hebben, zit je op het politiebureau en wordt je man gebeld, omdat zijn vrouw dronken achter het stuur vandaan is gehaald.

'Ze is een beetje overstuur en zegt dat ze bij u weg wil, misschien moet u haar maar even komen halen.'

'Nee, niet die man bellen!' wil je nog roepen maar ze horen je niet door het dubbelglas van de ontnuchteringscel.

In de volgende scène zien we hoe ik door mijn man word opgehaald en vervolgens een weekje verdwijn om met een lobotomielittekentje op mijn voorhoofd terug te komen. Zo doen we dat met lastige vrouwen. Voor je het weet, is je leven een enge film en speel je de hoofdrol in *The Stepford Wives.* Ik klap de sloten van de koffer dicht en trek het loodzware geval over de gang naar de logeerkamer en doe de deur op slot.

Even later wordt er aan de deur gerammeld.

'Isabelle. Doe open.'

Ik hoor de angst in zijn stem. Het is me ernst en hij weet het. Dit had ik jaren eerder moeten doen. Lief zijn, je koopt er niks voor. Je tanden laten zien, dat levert tenminste wat op. Waarom wordt ons dát niet geleerd? Misschien een ideetje voor een nieuwe onderwijsinstelling. De Loedermavo.

'Isabelle, toe nou. Doe niet zo kinderachtig. Doe nou niet zo onredelijk.'

'Dat zijn twee betuttelende opmerkingen te veel, Marc.'

'Luister nou. Ik weet niet wat je gehoord hebt, maar het is niet wat je denkt.'

Ik begin te gieren van het lachen en doe de deur open. Hij ziet er ontredderd uit. Ik heb hem in al die jaren nog nooit zo kwetsbaar gezien, echt heel lief. Ik zou er bijna ontroerd door raken, ware het niet dat er levensgroot *there is no business like showbusiness* op zijn voorhoofd geschreven staat.

'Het is NIET wat ik DENK? Jij neukt een badeend in de lunchpauze en het is NIET wat ik DENK? Wat is het dán volgens jou?'

De lage G van mijn stemgeluid blijft me verrassen.

'Het was niet mijn bedoeling. Ik heb haar al maanden niet gesproken, maar ze stond opeens in mijn kantoor en het liep uit de hand. Ik weet niet wat me bezielde. Het stelt niks voor. Er is niks gebeurd. Ze besprong me maar ik heb haar van me afgeduwd.'

'Heel goed, Marc. Chapeau. Applaus. Dames en heren, zo'n kind gun je toch een Fanta. Altijd ontkennen. Heel goed. Zelfs als je op heterdaad wordt betrapt, blijven ontkennen. Dat is toch de code? Sodeflikker toch een end op, man. Het stelt niks voor? Hou toch op met die ongelofelijke bullshit. Wees toch es eerlijk! Wat is er in godsnaam toch zo MOEILIJK aan gewoon es EERLIJK zijn!!! Geef toch gewoon TOE dat dit al tíjden gaande is, dat het nooit over is geweest. Dit is niet een van je bekende slippertjes. Dit is een affaire, Marc. Een verhouding. Je bent verliefd op iemand anders en je bent te laf om het toe te geven. Het maakt niet uit, Marc. Jij belazert mij, ik belazer jou. Waar het op neerkomt is dat ons huwelijk NIET DEUGT en dat moeten we onder ogen zien. Ik ben dat op dit moment met heel veel moeite heel erg onder ogen aan het zien. Alleen maar dat. Waarom zouden we in godsnaam bij elkaar blijven? Geef me één reden!'

'Hoezo belazer je mij?'

'Hè ja, laten we de boel omdraaien.'

'HOEZO belazer je mij!' schreeuwt hij. 'Ik snap het al, je hebt gewoon een ander. Daarom loop je stennis te schoppen, als bliksemafleider.'

'Ik jou belazeren? Ik zou niet durven, schat. Bovendien, waarom zou ik? We hebben het toch heerlijk samen? Ik blijf ontkennen, Marc, tot ik erbij neerval. Ik ontken het zélfs als ik het zelf toegeef!

Word ik nu toegelaten tot de Bond voor Vreemdgangers?'

Hij begint rood aan te lopen en balt zijn vuisten.

'Kutwijf,' sist hij tussen zijn tanden. 'Wie is het?'

'Niemand die je kent en het is allang voorbij. Ik ben een tijdje terug toch meermaals op bezoek geweest bij een vriendin in Londen? Dat was een minnaar in een hotel. Jij wilde maar al te graag geloven dat ik weekendjes naar Londen ging, want dan kon jij ook lekker je gang gaan. Leve de vrijheid, joegei het was in de meie.'

Het is even stil. Marc woelt met zijn hand door zijn haar.

'Maar we dwalen af. Ik vroeg een reden om bij elkaar te blijven.'

Hij komt op me af en wil zijn armen om me heen slaan.

'Blijf van me af. Je ruikt naar bier en vreemde vrouwen.'

De mannetjesbij schijnt er bekend om te staan, dat zodra er een andere dar ten tonele verschijnt de interesse met zo'n tweehonderd procent toeneemt. Jaloezie doet wonderen voor een huwelijkscrisis. Het effect van deze biecht is wel heel groot.

'Ik hou van je.'

'Ik dacht al, waar blijft ie. Het is te laat, Marc, gewoon te laat. Ik wil weg, ik wil weg, ik wil wèhèg. Ik wil van je àhàf.'

Ik ben zo blij dat ik het eindelijk durf te zeggen, dat ik niet meer kan ophouden.

'Ik heb nooit iets anders gewild dan je gelukkig maken.'

'Waarom heb je dat dan niet gedaan!' gil ik.

'Misschien omdat ik niet weet wat je wilt,' zegt hij kleintjes en, voor het eerst, eerlijk.

'*I want passionate, everlasting love*,' zeg ik met veel gevoel voor drama en ik gooi de deur met een klap dicht.

8

BECAUSE THE NIGHT

Ik laat me achterover op bed vallen. Mooi. Daar lig ik dan. Ik geloof dat ik gescheiden ben. Het is wel een kwestie van doorzetten natuurlijk. Voor ik het weet sta ik morgenochtend vers geraapte eieren met echt Engelse bacon te bakken terwijl ik *How do you like your eggs in the morning, I like mine with a kiss* swingend in een pollepel die dienst doet als microfoon, sta te zingen. Gewoon omdat ik niet kan ophouden met zorgen. Misschien is het een idee om wat briefjes in huis neer te leggen met de tekst: ik ben boos. Zoals ik vroeger deed wanneer ik nijdig was op mijn vader. Wat door zijn nijpende gebrek aan een goed gevoel voor humor nogal vaak voorkwam. Ik sliep in een stapelbed, het bovenste bed diende als logeerbed, en soms schoof ik een briefje onder het matras van het bed boven me om mezelf er de volgende dag aan te herinneren dat ik kwaad was en dat ik dat graag wilde blijven. Dat zou hem leren, dacht mijn kinderhoofd. Wanneer ik 's ochtends wakker werd, zag ik door de draadstalen van het logeerbed de woorden, *ik ben boos.* Wat me er overigens niet van weerhield om toch als een dartelende koter door het huis te dansen, want ik was niet zomaar een *pleasertje.* Ik was een diehardpleasertje.

Jong geleerd, oud gedaan.
Keurig afgericht ben ik door het leven gegaan.
Annie M.G. had het niet beter kunnen verzinnen.

Ik ben bekaf en zo zat als een aap.
Met mijn kleren aan val ik in slaap.

Halverwege de nacht word ik snakkend naar adem wakker. Ik lig in een uiterst ongemakkelijke houding. Al slapend heb ik mijn kleren willen uittrekken waardoor mijn armen boven mijn hoofd bekneld zitten in mijn jurk. Zelfs in mijn slaap weet ik mezelf klem te zetten. Ik wurm mezelf uit mijn Betsey Johnson. Ik heb een bonkende koppijn en mijn holtes zitten verstopt door het huilen. Ik hoor Marc snurken alsof er niets is gebeurd. Je zou verwachten dat hij aangeslagen en stil in zijn bed lag, maar nee. *It's business as usual* in de houtzagerij. Ik glij mijn bed uit en loop zachtjes over de gang naar onze slaapkamer. De deur staat open. Het gesnurk zwelt aan naarmate ik dichterbij kom. Het is oorverdovend. Zou hij met z'n tweeën zijn? Stel je voor.

> Vrouw vindt kloon. Na een relatie van zeven jaar komt een argeloze vrouw er plotsklaps achter dat haar man al die tijd met zijn tweetjes is geweest. Hij heeft zich laten klonen om de taken te verdelen. Het was in de nacht dat ze het huis had verlaten, halverwege had ze zich echter bedacht en was ze teruggekeerd. Toen vond ze hen samen in bed. Gezamenlijk en oorverdovend snurkend in een gelijkmatig tempo.

'Als je de humor verliest, verlies je alles,' zoals Janine zou zeggen. Het zou wel de tweeslachtigheid van zijn karakter verklaren. Ik kijk om het hoekje van de deur. Gelukkig, hij is alleen. Ik vind het al een hele klus van één man te scheiden, van twee zou ik echt niet trekken.

Marc ligt op zijn rug, zijn mond halfopen. Hoe iemand zoveel lawaai kan maken en de volgende dag toch nog kan praten, is me een raadsel. Het is een wonder dat hij zijn strottenhoofd jaren geleden al niet aan flarden heeft gesnurkt.

Hij snurkt zo hard dat ik ooit in de verleiding ben geweest om een decibelmeter naast hem neer te leggen om te zien of hij de toegestane hoeveelheid niet overschrijdt. Dan had ik de politie kunnen bellen wegens geluidsoverlast. Hij snurkt de scheuren in de muur, ik zweer het. Er loopt een grote scheur overlangs in de muur aan het hoofdeinde van het bed en ik ben er heilig van overtuigd dat die is ontstaan door overmatige blootstelling aan een te hoge trilling. De ellende is natuurlijk dat degene die snurkt nergens last van heeft en dat degene die er last van heeft er niets aan kan doen.

Behalve zijn toevlucht nemen tot oordoppen, die onvoldoende bestand zijn tegen het geronk. Steeds vaker kroop ik halverwege de nacht in het logeerbed. Ik heb weleens voorgesteld om apart te gaan slapen, maar daar wilde hij niets van weten. Dat hoorde niet als je getrouwd was, vond hij. Dus wachtte ik tot zijn brandalarm aanging om dan stilletjes naar het belendende vertrek te trippelen.

Ik laat me op de grond zakken en sla mijn armen om mijn knieën. Mijn rug rust tegen de muur. Zijn weerloze slapende gezicht ontroert me. Zal ik ernaast kruipen? Doen of er niets aan de hand is? 'Wees es lief,' zou hij prevelen.

Vroeger wilde ik hem weleens wakker vrijen. Dan nam ik zijn lul zachtjes in mijn hand tot hij een stijve kreeg en grommend bij me binnendrong. De volgende morgen vroeg hij dan: 'Hebben we het vannacht nou gedaan of niet?'

Als ik dan over mijn eitje glimlachend ja knikte, was hij zo blij als een kind. Getrakteerd zonder dat hij er erg in had, dat vond hij het leukste wat er was. In zijn ogen getuigde het van optimaal begeerte. Ik kon niet wachten tot de volgende morgen! Ik kon niet wachten tot hij wakker was! Wat een vrouw!

De waarheid was dat ik voornamelijk genoot van zijn blije gezicht bij het ontbijt, wat minstens een dag wonderen deed voor zijn humeur. Het was een kleine moeite, maar met groot resultaat.

Hij was ook een slaapwandelaar. Tijdens die nocturne ommetjes kwamen al zijn frustraties er uit. Vaak stond hij opeens midden in de kamer een van zijn collega's uit te schelden. Om daarna mij te bespringen.

Diep in zijn hart vindt hij seks een beetje vies. Het is iets wat hij liever niet doet, niet klaarwakker tenminste en niet met zijn vrouw. Marc was opgevoed met de stelregel: er zijn seksmeisjes en er zijn trouwmeisjes. En ik was een trouwmeisje. Dus hadden we slaapseks. Dromend wilde hij anaal. In de wakkere stand kwam hij niet verder dan de missionarishouding met zijn gezicht naast me in het kussen, om zijn schaamte te verbergen.

In het begin vond ik het wel iets hebben. Het was wild en gepassioneerd. Het feit dat hij zich de volgende dag bijna niets kon herinneren, deerde me niet. Dat het niet reuzebevredigend was, ook niet. Maar na verloop van tijd begon ik meer waarde aan mijn nachtrust te hechten en kon ik het onaangekondigde fierljeppen allengs minder waarderen. Gelukkig lag ik steeds vaker in de logeerkamer en daar slaapwandelde hij nooit naartoe. Die stond niet in zijn TomTom.

Ik kruip naast hem onder het dekbed. Hij rolt op zijn zij met zijn rug naar me toe. Het gesnurk gaat over in een regelmatige ademhaling. Ik sla mijn arm om hem heen, neem zijn geslacht in mijn hand. Waarom doe ik dit?

Mijn hart gaat als een razende tekeer. Niet van opwinding maar van angst. Angst dat het niet meer lukt, dat hij niet meer opgewonden raakt. Dat hij zo verliefd is op die Eva dat mijn lichaam en mijn geur zijn instincten niet meer beroeren.

and who can bear to be forgotten
and who can bear to be forgotten

Jaloezie doet rare dingen met een mens. Ik heb es in de *National Geographic* gelezen dat angsthormonen akelig veel op sekshormonen lijken en dat ons brein die twee gemakkelijk door elkaar haalt. Eén neurotransmitter met een defecte wissel en de boel loopt in het honderd. Verliefdheid is dus in veel gevallen niet veel meer dan geiligheid en de angst om afgewezen te worden. Wetenschappers hebben er onderzoek naar gedaan: van angst word je opgewonden. Mensen die dus bang zijn voor de liefde, zitten met de gebakken peren. Die hebben een hoofd vol verkeerde wissels en kunnen onmogelijk wijs worden uit die chemische fabriek.

Voorzichtig, om hem niet wakker te maken, trek ik hem af. Hij krijgt een stijve. Gelukkig. Kreunend rolt hij op zijn rug. Ik ben nat. Ik wil neuken, uit jaloezie, geldingsdrang, territoriumdrift. Niet uit begeerte.

Ik sla het dekbed terug, ga op hem zitten en laat hem behoedzaam in me glijden. Hij murmelt onduidelijke woordjes. De realiteit en zijn dromen vermengen zich. Zijn handen glijden over mijn dijen. Hij begint te kreunen. Met een aantal welgemikte stoten, breng ik hem naar een hoogtepunt. Voor hij uit zijn roes is ontwaakt, lig ik weer in het logeerbed.

Ik droom dat ik door een groot gebouw ren, achtervolgd door een man met een geweer. Plotseling draai ik me om, laat de man dichtbij komen en met een snelle beweging leg ik een knoop in de loop van zijn geweer, alsof het niks is. Dat is nog eens een vijand uitschakelen. Dan haalt de man een pistool met een minuscuul loopje tevoorschijn. Daar valt niets tegen te beginnen. Mijn leven is in gevaar. Ik trekt een sprint en weet me listig te verschuilen achter grote marmeren pilaren, ik ren eindeloos hoge trappen op in de hoop aan de man met het pistool te kunnen ontkomen, tot ik hoog boven in het gebouw bij een balustrade uitkom en niet verder kan. De enige uitweg om aan de bewapende man te kunnen ontkomen is door te springen naar de overkant. Ik durf niet. Ik zal te pletter vallen. In de droom zeg ik tegen mezelf: 'Gewoon blijven springen, anders val je, en dat is jammer want dan word je wakker en mis je de afloop.' Ik neem een aanloop en spring. Als een bionische vrouw maak ik een enorme sprong door de lucht en bereik ik veilig de overkant.

Het veertiende nummer van de rockopera *Tommy* begint te spelen. *I am free.*

De volgende morgen heb ik nog steeds een bonkend en verstopt hoofd. Ik trek een kussen over mijn hoofd om het zonlicht dat door de smetteloos witte gordijnen wordt gefilterd, tegen te houden. Ingespannen luister ik naar de geluiden in huis. Het is stil. Marc is al naar zijn werk. Ik laat me uit bed rollen en bestudeer mijn gezicht in de spiegel. Er zitten dikke vochtblazen onder mijn ogen. Ik ben op een leeftijd gekomen waarop ik na elke emotionele uitspatting, de rekening krijg gepresenteerd. Misschien wil ik daarom wel bij Marc weg, uit ordinaire ijdelheid. Van stress krijg je alleen maar rimpels. Het klinkt als een artikel in *Linda*: 'Een scheiding in plaats van botox! Er is onderzoek naar gedaan. En wat blijkt? Een scheiding doet wonderen voor het verouderingsproces en de vorming van nieuwe huidcellen.'

Het zou me niets verbazen. Het moet natuurlijk wel een fijne scheiding zijn. Eentje die oplucht.

Ik loop naar onze slaapkamer. Het bed is onopgemaakt. Ik sta er even naar te kijken en voor ik het weet stromen de tranen over mijn wangen. Geluidloos. Ik huil van pure ontspanning. Veel verder dan dat kom ik op dit moment nog niet.

Ik trek mijn joggingpak aan. Ik heb frisse lucht nodig.

9

DE TUIN VAN TINKE

Als ik mijn fiets uit de schuur trek, hoor ik een scherp 'joeee-hoeee'. Tinke staat in de tuin te jodelen, een teken dat de koffie klaarstaat.

Niet nu.

Te laat. Ze staat al op het platgetreden paadje tussen de manshoge coniferen, een snoeischaar in haar hand. Zo vroeg en dan al zo stralend. Het is bijna niet om aan te zien.

'Wat heb jij een plofkop,' zegt ze zonder al te veel gevoel voor nuance.

'Je ziet eruit alsof je wel een espresso kunt gebruiken, of heb je liever een capootje?' Zonder mijn antwoord af te wachten, draait ze zich om en verdwijnt door het gat in de heg.

'Nee, espresso is prima, lekker, dankjewel,' pruttel ik voor me uit terwijl ik mijn fiets tegen de schuur parkeer. Tinke is een vrouw die uitgaat van haar eigen plannen, wat dat betreft kan ik nog een hoop van haar leren.

Haar tuin heeft ze zorgvuldig laten aanleggen in de kleuren van de chakra's: rode rozen, oranje papavers, gele tulpen, groene liguster, blauwe ridderspoor, paarse violen, witte jasmijn. Voor een optimale energiehuishouding van het esoterische lichaam, verzekert ze me met enige regelmaat. Geen idee waar mijn esoterische lichaam zich bevindt, maar ik knik altijd wijs van ja. De binnenkant van haar zwembad heeft ze met knalrode geglazuurde tegels laten betegelen, waardoor het water rood gekleurd lijkt. Heilzaam voor de kwaliteit en aanmaak van bloedlichaampjes, beweert ze stellig om er gierend van het lachen aan toe te voegen: 'Ik lig in mijn bloedeigenste bloedbad.' Haar huis is tot in detail feng shui, en hangt vol met wind chimes. Alle deuren zijn andersom in de sponningen gezet, dat is beter voor de energie in huis. Tinke laat niets aan het toeval over. Of het echt werkt of dat ze altijd zo is geweest, ik weet het niet, maar ze bruist van energie en heeft een fantastische relatie. Nu weet ik uit ervaring dat vrouwen elkaar altijd graag doen geloven dat ze een uitstekende relatie hebben, dus helemaal zeker weten doe ik het niet, maar Tinke verdient het voordeel van de twijfel.

'Zijn ze niet prachtig?' Ze staat met twee beeldschone koffiekopjes van Tord Boontje in haar handen en kijkt er liefkozend naar. 'Van Thomas gekregen.' Thomas is haar echtgenoot en tevens een succesvolle concertpianist. Op-het-irritante-af-toegewijd. Als hij thuis is tenminste. Behoedzaam neem ik mijn kopje in ontvangst. Ik heb de gewoonte zenuwachtig te worden van iets heel moois. Het zou es kunnen breken.

'Hoe kom je aan dat opgeblazen hoofd? Toch geen allergische reactie?'

Ze polst de situatie subtiel. Ze heeft ons ongetwijfeld gehoord gisteravond. Tinke legt haar licht flappende oortjes graag te luister bij burengerucht.

In de tijd dat ik nog vocht voor mijn huwelijk, hebben zich weleens heftige ruzies voorgedaan. Het gat in de heg en de tuindeuren, die vrijwel altijd open staan, doen de rest. Zo vloog er eens een volle pot mayonaise door de kamer precies op het moment dat Tinke haar lieve, maar o zo nieuwsgierige hoofdje om de hoek stak. Ik mikte vanaf het kookeiland op Marc, die een atletische duik naar rechts maakte, waardoor de pot met een doffe klap in de gordijnen belandde. Ze begon te gillen, van het lachen welteverstaan. Waardoor ook wij opeens de vrolijkheid van de situatie inzagen. Humor helpt. 'Scherven brengen geluk,' jodelde ze met haar hoge stem. Terwijl ik voor de gelegenheid *I love the sound of breaking glass* zong, hebben we samen de vette klodders van de gordijnen geschraapt. Marc ontkurkte een onbetaalbare fles Amarone uit de vorige eeuw om te toosten op de goede afloop. De pot had immers met evenveel gemak tegen het hoofd van Tinke uiteen kunnen spatten. Voor de gelegenheid dronk ze voorzichtig een glas mee. Na haar vertrek hebben wij nog een fles Brunello meester gemaakt, daarna zijn we naar bed gewaggeld.

Een kleine elf minuten later verzuchtte Marc: 'Zo, dat was lekker, zeg.' Ik knorde instemmend. Ik had niets gevoeld maar onder het motto *fake it till you make it*, kon ik wel genieten van een goede show.

'Heb je veel paranoten gegeten?' probeert ze met een omtrekkende beweging. 'Daar schijnt tegenwoordig een lelijk goedje in te zitten. Daar blaas ik helemaal van op.'

'Beetje te veel wodka,' mompel ik.

'Heb je gedrónken?' Ze spreekt het uit alsof het een vies woord is. Tinke drinkt alleen bronwater. Ze heeft een koolstoffilter in haar waterleiding laten plaatsen zodat er gezuiverd water uit de kraan komt.

'Ja. Ik had een gekke bui gisteravond en heb een wodkaatje genomen. En je weet dat ik slecht tegen drank kan. Dan hoeft er maar dít – ik knip met mijn vingers – te gebeuren en ik ben een emotioneel wrak. Allemaal aanstellerij.' Ik kijk haar grijnzend aan.

Er trekt een wolk voor de zon. Ik leg een fleece dekentje over mijn opkomende kippenvelletje en geef haar een knipoog om haar te verzekeren dat de zon volop schijnt in Huize Hubar.

'Je maakt een doffe indruk. Drink je wel genoeg water? Minstens twee liter per dag, hè? Dóé dat nou!'

'Ja, ja, doe ik. Ik drink zoveel water, ik verzuip mezelf nog van binnenuit.'

Ze begint te grinniken.

'Ik zal via internet een koolstoffilter voor je bestellen. Die troep die in het gewone leidingwater zit, is veel te belastend voor je nieren en je lever. Dat zie je meteen aan je huid. Je houdt gifstoffen vast.' Ze knijpt in de huid van mijn arm om mijn huid te inspecteren.

'Nog een espressootje?' Gelukkig is ze in gelijke mate inconsequent als het erop aankomt.

Ze drentelt de keuken in en keuvelt vrolijk door terwijl ze in de weer is met haar lichtblauwe espressomachine. Mijn gedachten dwalen af naar gisteravond. Ik voel me raar. Ik check voortdurend bij mezelf of ik echt weg wil. Het antwoord is onverminderd ja.

Tinke roert in haar koffie en slaat het lepeltje beheerst, maar akelig lang af, terwijl ze me onderzoekend aankijkt. Ze besluit tot een directe aanpak.

'Toch heb ik het gevoel dat er iets is. Hoplakee, voor de dag ermee. Mij neem je niet in de maling.'

Ik haal diep adem. Vooruit dan maar.

'Ik ga weg bij Marc.'

'Dat heb ik vaker gehoord.'

'Dat heb je helemaal niet vaker gehoord,' reageer ik geïrriteerd. 'Ik heb vaak gezegd dat ik weg wílde, maar deze keer ga ik echt weg.'

Ze begint smakelijk te lachen.

'Wat je bedoelt is dat jullie weer eens ruzie hebben gehad. Straks laat hij een bloemetje bezorgen en huppekee, vanavond sta jij weer vrolijk een chateaubriand te braden. Maak je geen zorgen. Niks aan de hand.'

'Nee hoor, heus niet. Het is klaar. Ik heb in de logeerkamer geslapen omdat ik te veel had gedronken, maar het is gedaan. Over en uit.' Ik voel dat ik het net zo hard tegen mezelf zeg als tegen haar.

Om het gesprek een andere wending te geven, draai ik de rollen om en stel haar een vraag. Dat is meestal afdoende.

'Zeg, hoe heb jij Thomas eigenlijk ontmoet?'

Ze slaakt een diepe, gelukzalige zucht en slaat haar ogen ten hemel.

'Op het strand van Bergen. Hij liep voorbij en ik viel meteen op zijn kuiten.'

'Op zijn kuiten?'

'Ja, zijn kuiten, die gaven de doorslag. Prachtig gevormde, lichtbruine kuiten met zachte blonde haartjes. Dit is de man om wie ik gevraagd heb, dacht ik toen ik hem zag.'

'Om wie je gevraagd had? Had je je soms ingeschreven bij een datingservice?'

'Nee, kind. Gewoon aan God gevraagd. Lieve God, ik wil een man die lekker zacht aanvoelt en lief is. En als het niet te veel gevraagd is eentje die ook goed is in bed,' voegt ze er in een lagere toonsoort aan toe. Ze grinnikt als een ondeugend schoolmeisje. 'En ik heb hem gekregen.'

Ik kijk haar met stomme verbazing aan. Maar natuurlijk! Dat ik daar niet eerder aan gedacht heb. Ik moet gewoon een man aan Gód vragen. Maar wat als je niet in God gelooft?

'Je maakt een geintje.'

'Ik ben bloedserieus. Het was liefde op het eerste gezicht. Ik was koud twee weken bij Gerard weg en daar wandelde Thomas nietsvermoedend voorbij.' Ze begint te gieren van het lachen.

'Ik ben er bovenop gesprongen natuurlijk. Hij wist niet wat hem overkwam. Maar ik heb God er wel elke dag om gevraagd. Je moet God laten weten wat je hebben wilt. Anders krijg je het niet. Dan snapt het universum het niet. Je gaat me toch niet vertellen dat je *The Secret* nog niet gezien hebt?'

Ik heb geen idee waar ze het over heeft maar ik heb geen zin om ernaar te vragen dus ik knik wat van ja, natuurlijk wel.

'Maar ik heb het altijd al geweten, komt hierdoor.' Ze tikt op het plekje tussen haar ogen.

'Denk je niet dat het misschien toeval was?'

Ze kijkt me met een staalblauwe blik aan.

'Toeval bestaat niet.'

De siamezen Kareltje en Pareltje komen aangelopen en springen allebei luid spinnend bij me op schoot. Mijn vader schreef 'De avonturen van Kareltje en Pareltje', de belevenissen van twee straatkatten. De verrassing was groot toen bleek dat Tinke haar lievelingen had vernoemd naar mijn vaders helden. Aan de hand van hun avonturen deelde hij kleine kattenwijsheden mee. Eén in elk hoofdstuk. Zoals: ga uitsluitend om met diegenen die je intens beminnen, verhef genieten tot kunst of zorg ervoor dat de deur altijd op een kier staat. Van katten viel een hoop te leren, volgens mijn vader. Ongetwijfeld doelde hij hierbij op zijn overspelige escapades. Blijkbaar heeft Tinke meer aan zijn boeken gehad dan ik. Zelf leefde mijn vader ook niet naar zijn geboden voor zwerfkatten. Hij was een melancholieke man. 'Soms is het beter te blijven hunkeren,' zei hij weleens. Misschien heeft hij zijn kattenwijsheden ook wel verzonnen omdat hij ernaar had willen leven. De poezen kiezen elk een dij en maken het zich gemakkelijk terwijl ze van verrukking zachtjes hun nageltjes in mijn vel duwen. Met twee handen aai ik hun zachte vacht waarbij ze simultaan hun ruggetjes een beetje krommen.

Niets zo dankbaar als het liefkozen van een dier.

Opeens klapt Tinke in haar handen en roffelt ze even met haar voeten op de grond.

'Je móét even komen kijken. Ik heb een verrassing. Misschien is het iets voor jou en Marc.'

Het klinkt geheimzinnig. Misschien heeft ze God *Himself* op zolder verstopt en mag ik Hem hoogstpersoonlijk mijn wensen voorleggen.

Ze neemt me mee naar de slaapkamer die is ingericht à la Frans boudoir. Barokbehang, donkerrode gordijnen, een groot bed met een enorme hoeveelheid kussens van velours in alle kleuren van de regenboog. Alleen de spiegel aan het plafond ontbreekt. Ik vraag me af of haar kinderen deze kamer wel mogen betreden. Onwillekeurig inspecteer ik de deur. En jawel, die kan stevig op slot. Dan zie ik midden in de kamer opeens een leiding uit het plafond komen. Zo te zien is het nog een hele ingreep, zo'n koolstoffilter.

'Heb je problemen met de waterleiding?'

'Lieve naïeve schat, dit is geen leiding. Dit is een *pole tease*.'

'Een wat?'

'Een pole tease. Om te paaldansen. Thomas vind het fááántááástisch. Goed voor de conditie en het doet wonderen voor ons seksleven. De pit was er een beetje uit de laatste tijd.' Ze trekt haar joggingpak uit en slingert zich in haar zwempak ongegeneerd en verrassend lenig om de paal. Tinke is een kleine, stevige vrouw en niet de slankste onder ons. Ik ben als de dood dat ze het hele geval uit het plafond zal trekken, maar het gaat goed.

'Ongelofelijk. Waar heb je dat geleerd?' Of heb je dat ook gewoon aan God gevraagd, voeg ik er in gedachten sarcastisch aan toe. Lieve God, laat me alsjeblieft een potje kunnen paaldansen.

'Gewoon. Les genomen.'

Ze begint te fluisteren.

'Het windt me op.' Ze giechelt als een klein meisje. 'We gaan binnenkort een weekend weg, je mag hier best samen met Marc logeren.' Ze geeft me een vette knipoog en grijnst.

Het is haar nog niet duidelijk dat de kwaliteit van ons seksleven niet goed is omdat het met de kwaliteit van ons huwelijk niet al te best gesteld is. Seks is voor Marc een vorm van stresshantering en een middel om zijn ego te strelen. Dat is iets anders dan de liefde bedrijven. En als ik het allemaal goed begrijp, zijn Thomas en Tinke dolverliefd op elkaar, met alle wonderschone gevolgen van dien.

'Mannen zijn hier dól op. Ga anders een keertje mee naar les. Het is hartstikke leuk! En héél goed voor je seksuele energie.'

Haar stem gaat weer de diepte in. 'Voor de liefde moet je fit zijn,' voegt ze er veelbetekenend aan toe.

Als ik iets niet wil, is het wel mijn seksuele energie opwekken. Ik heb geen idee wat ik ermee aan zou moeten.

Ik ga op bed zitten en strijk met mijn hand over de satijnen bedsprei.

Wat moet het heerlijk zijn om er zoveel moeite voor te willen doen. Gewoon omdat het leuk is. Mijn ogen vullen zich met tranen.

Ze komt naast me zitten, slaat troostend een arm om me heen en drukt me even tegen zich aan.

'Neem een minnaar, dan ben je overal van af. Kan jou het schelen. Hier.' Ze geeft me een tissue.

'Je lijkt mijn moeder wel.' Ik snuit mijn neus en veeg mijn gezicht schoon. 'Ik wil gewoon wég, Tinke. Mag dat ook? Wég. Ik wil een ander leven. Maar ik durf niet.'

'Kind, het is zo simpel. Ik heb op een dag gewoon mijn koffers gepakt, bij de deur heb ik me nog even omgedraaid om heel hard: "Ik ga! En als je me niet tegenhoudt, kom ik nooit meer terug en daar krijg je heel erg veel spijt van!" te roepen. Toen ben ik in de auto gestapt, naar mijn moeder. Bij haar heb ik kort en hevig uitgehuild... en twee weken later kwam ik Thomas tegen. Nu ben ik alweer bijna tien jaar heel gelukkig.'

'Je vergeet je prettige gesprek met God,' snotter ik en we schieten allebei in de lach.

'Lieverd, neem hem zoals hij is of ga weg, maar hou op met zeuren. Het leven is jouw feestje. Je mag het allemaal doen zoals jij het wilt. Stel je voor dat dit het laatste jaar van je leven is. Wat zou je dan doen? Volg je hart.'

Het laatste jaar van mijn leven.

Lisette wist niet dat het haar laatste jaar was. Hooguit dat het haar laatste dag was. Als ze had geweten dat het haar laatste jaar was, zou het dan anders zijn gelopen? Zou ze andere keuzes hebben gemaakt? Welke keuze maak ik als dit het laatste jaar van mijn leven is?

10

GIACOMO EN LORENZO

Tegen de wind in fiets ik naar de duinen die een paar kilometer achter ons huis liggen. Mijn meest geliefde plek. De duinen vormen het mooiste landschap ter wereld. Ik vind er troost, schoonheid en stilte; de juiste ingrediënten voor een goed gesprek met mezelf. Daar zeg ik iets. Mezelf. Als ik nog weet wie dat is.

Mijn voeten zwoegen op de pedalen. Verder tegen de wind in. Slingerend over de paden door de zandheuvels. Zand in mijn ogen. Tranen over mijn wangen. Ik zet de fiets in een hogere versnelling. Ik wil harder. Mezelf uitputten. Leven voelen. Vrijheid voelen. Voelen dat ik sterker ben dan ik denk.

Aangekomen bij een klein ven stap ik af. Mijn longen doen pijn. Hijgend laat ik me in het warme zand ploffen. Er hangt een buizerd in de lucht. Hij cirkelt over me heen en beweegt zijn kop alsof hij inschat of hij deze prooi aankan of dat hij die beter aan zich voorbij kan laten gaan. Ik plens wat water in mijn gezicht. Ik heb niets gehoord over een botulinewaarschuwing dus ik neem een paar slokjes. Op hoop van zegen. En anders zijn mijn problemen heel snel opgelost. 'Sorry meneer, we konden niets meer voor haar doen. Een acuut geval van een myxomatosebesmetting door een virus in het zand en een botulinetoxine in het water, tja daar is niemand tegen bestand. We leven met u mee.' Marc ook weer blij.

De dood heeft als bijkomend voordeel dat het je voor een voldongen feit stelt.

De wolken werpen hun schaduw op het zand. Lopend breek ik door een hard laagje, alsof ik de eerste ben die hier loopt. Als kind kon ik hier uren dwalen met de geruststellende gedachte dat de wind mijn sporen zou uitwissen. Levend met het idee dat ik helemaal van mezelf was en mijn fantasieën de vrije loop kon laten. Hier was ik vrij om te kiezen wie ik wilde zijn.

Misschien is de vraag niet wát ik wil maar wie ik wil zijn.

Ik denk aan Giacomo en Lorenzo. Een boek over de eeneiige tweeling dat ik als opgroeiende koter stukgelezen heb. Het was mijn bijbel.

De tweeling deed alles samen, jarenlang. Tot ze op een dag op een kruispunt belandden en besloten ieder hun eigen weg te gaan. Giacomo ging linksaf, Lorenzo rechtsaf. Giacomo leidde een groots leven, meeslepend en vol avontuur. Het leven van zijn tweelingbroer voltrok zich langs lijnen van tradities. Ik herinner me dat ik ronddolend in deze duinen, zwoer op elk kruispunt in mijn leven linksaf te gaan. Om groots en meeslepend het leven van Giacomo achterna te gaan. Nu realiseer ik me pas wat het sprookje werkelijk betekent.

Kiezen tussen hoofd en hart.

Welke wens ligt er in mijn hart? Volg je hart. Dat is gemakkelijker gezegd dan gedaan, mijn hart is doofstom. Levensdoof. Geluksblind. Geworden. Gemaakt.

Er begint een liedje te spelen in mijn hoofd. Een van de mooiste nummers van The Beach Boys. Ik ken het uit mijn hoofd. Zoals alle liedjes waar ik van hou. Ik zing het zacht voor me uit, anders blijft het rondzingen. Als ik het liedje van begin tot eind zing dan verdwijnt het en wacht de jukebox in mijn hoofd op het volgende kwartje om daar een bijpassend liedje bij te zoeken.

I love to see you oh my love
I want to feel you near
My need is deep inside
Well I've been rolling on, I've been holding on, I'd like you to know
That it's been a long, long time

Sometimes it's hard to make it through the day
Sometimes it's hard to find my way
Sometimes it's hard to notice the changing days
When your friends have all gone
Leaving this town for another one

The night is coming round
I can feel the weight of coming down,
So afraid to lose this dream
I want you to understand that I'm trying to do the best I can
It's so easy to lose my way

Lay your head where you may find some peace
I've been searching for my happiness
Don't you want to wake up and (finally) take my love,
I'd be happy if you'd let me know
Should I stay or go
Let me know

Woke from a dream to see reflections all around me,
of new realities,
heavenly angels won't you guide me please help me to decide the
path most meant for me.

11

EEN JAGUAR OP VIER POTEN

Er komt een sms'je binnen. Janine.

Alles kits?

Ik druk de voorkeurstoets voor haar nummer in. Ze neemt meteen op.

'Hoe gaat ie?'

'Ik ga bij Marc weg.'

'Ach wat. Serieus? Is het echt?'

'Ik heb ons fornuis in tweeën geslagen.'

'Dat grote, dikke, stevige, bloedmooie ding?'

'Er kwamen krachten vrij waarvan ik het bestaan niet vermoedde. En die heb ik ongebreideld de ruimte gegeven.'

'Wil je me beloven dat nooit te doen als ik in de buurt ben?'

'Ik weet niet wat het is, maar ik moet bij hem weg. Ik snap het zelf ook niet helemaal. Het voelt alsof mijn leven ervan afhangt.'

'Misschien is dat ook zo. Je bent met een natte vinger te lijmen. Voor je het weet staat Marc voor je neus met een Jaguar met een strik eromheen.'

'Alleen als het een echte is, eentje op vier poten, dan wil ik erover nadenken.'

'Je klinkt nogal vastberaden. Waar ben je nu?'

'In een duinpan. Ik lig in het zand te bedenken hoe ik het zal brengen dat het deze keer echt serieus is.'

Ik hoor Janine zuchten. 'Wat dacht je van: "Ik ga bij je weg"?'

'Ik zie er zo tegen op. Het liefst zou ik in een ander leven willen stappen. Hup. Zomaar. Zonder overgang. Gewoon door te zappen. Ik wil hem geen pijn doen.'

'Ach lul niet. Je bent gewoon bang dat hij jou pijn doet of dat je jezelf pijn doet. Het is allemaal eigenbelang. Een nieuwe dimensie om aardig gevonden te willen worden. Zelfs tijdens een scheiding ben je een bestdoenertje, weet je dat?'

'Ik hou niet van ruzie.'

'Dan maak je geen ruzie, maar zeg je waar het op staat. Luister. Je kunt in elke situatie linksom, rechtsom, *immer gerade aus* en waarschijnlijk kun je nog vijfenzeventig andere kanten op, maar jij denkt dat er altijd slechts één kant is die je op kunt gaan en dan hoop je ook nog op een andere uitkomst. Als je het echt zo zeker weet, doe het dan ook en hou op met zeuren. Waar ga je naartoe als je weggaat?'

'Daar heb ik nog niet over nagedacht. Eén probleem tegelijk, graag.'

'Mijn buurman woont in New York. Hij gebruikt zijn etage in Amsterdam als pied-à-terre. Zal ik vragen of je daar zolang mag wonen?'

'Graag.'

12

WHEN THE BARMAN SAID 'WHAT'RE YOU DRINKING?' I SAID 'MARRIAGE ON THE ROCKS'

Als ik thuiskom staat de Audi van Marc voor de deur.

Telkens wanneer hij zijn ouders bezocht, wat niet zo gek vaak was, wilde hij een zwaardere auto op het grind laten knarsen. Ik heb zo heftig tegen een Hummer geprotesteerd dat we bij een Q7 zijn geëindigd. Een steeds groter bakbeest was voor zijn vader aanleiding om hem op de schouders te slaan en te brommen dat hij een fijne kerel was. Marc ook weer blij. In feite is hij net zo'n pleaser als ik. Hij is alleen op een andere manier afgericht. Onderhevig aan andere verwachtingen. Zijn enige rebelse daad was zijn huwelijk met mij. Zijn ouders vonden mij maar een wonderlijke dame. Ik droeg geen parelketting en ik deed iets creatiefs. En dat kwam er altijd een beetje misprijzend uit.

Ik had hem nog niet thuis verwacht. Hier ben ik niet op voorbereid. Mijn hart begint te bonzen. Ik loop de bijkeuken in en klap een tuinstoel uit. Ik leg mijn gezicht in mijn handen.

De deur gaat open.

'Wat zit je hier nou, gek. Waarom kom je niet binnen?'

'Omdat ik nog even hier wil zitten.'

'Je ziet mijn auto toch staan? Ik zit op je te wachten.'

'Dan mag ik hier toch nog wel even zitten? Misschien heb ik geen zin om naar binnen te gaan.'

'Ik ben speciaal voor jou naar huis gekomen.'

'Dat is aardig van je.'

'Aardig?'

'Ja, aardig. Wat is het anders?'

'Dat is verdómd aardig. Op z'n minst, zou ik zo zeggen,' snauwt hij.

'Als je het zo zegt, is het al een stuk minder aardig.'

'Daar gaan we weer. Laat ook maar.'

Hij gooit de deur met een klap dicht.

Ik slaak een diepe zucht. Houdt het dan nooit op?

Het huis staat vol bloemen. Grote, prachtig samengestelde boeketten met Zuid-Amerikaanse Capriccio-rozen, die een heerlijke geur verspreiden. Een mooie fles Dom Perignon leunt in de koeler.

Marc staat in het midden van de kamer en spreidt zijn armen. Het charmeoffensief gaat van start.

'Ah, daar ben je. Kom nou eens hier. Wat doen we nou toch lelijk tegen elkaar. Dat is toch nergens voor nodig?'

'Niet?'

'Ik heb Eva vandaag laten weten dat het voorbij is. Het stelde niets voor, echt niet. Dat weet je toch wel? Je kent me toch? Wil je het sms'je zien? Hier.'

Hij begint in zijn broekzak naar zijn mobieltje te graaien.

'Nee, laat maar.'

'Ik wil je niet kwijt, Isabelle. Ik vind het fijn wat we hebben.'

'Wat hebben we dan?'

'Een huwelijk. En ik hou van dit huwelijk.'

'Maar het is toch geen góéd huwelijk, Marc?'

'Wat doet dát er nou toe? Wie heeft er nou een goed huwelijk? Kom op zeg, niet van die domme dingen zeggen. Er is overal wat. Alle kerels zijn hetzelfde, dat weet jij net zo goed als ik. Allemaal klootzakken. Nou, kom, ga zitten, dan trek ik de champagne open. Daar word je vrolijk van. Weet je nog toen we elkaar net kenden? Elke avond aan de bubbels. Meesterlijke tijd.'

Dat zal de reden zijn dat ik met de verkeerde man getrouwd ben. Ik was het grootste deel van de tijd lam.

'Ik dacht bij mezelf, Isabelle is toe aan een fles die ploep zegt. Een lekker flesje prik doet wonderen.' Hij laat de kurk tegen het plafond ketsen.

'Wat een fantastisch spul is dit toch. Kijk es wat een mooi schuimkraagje. Doen we veel te weinig. Hier.'

Hij duwt me een glas in mijn handen.

'Proost! Op een lang en gelukkig leven.'

Hij begint nerveus te lachen. Het is aandoenlijk om te zien hoe hij zijn best doet om het me naar de zin te maken.

'Je bent gewoon een beetje overspannen.'

Hij is opeens onverwacht zacht.

'Het komt allemaal door die ellendige toestand. Waarom gaan we niet even lekker weg met zijn tweetjes, een beetje tot rust komen. Weekendje Venetië. Wat zeg je daarvan? We boeken een kamer in Cipriani, en dan maken we een tripje naar Torcello, daar hou je toch zo van? Van Torcello? Hapje eten bij Harry's Bar. Je zult zien dat je daarvan opknapt. Al die kletskoek over liefde. Dat is natuurlijk achterhaalde onzin. Dat weet je net zo goed als ik.'

Ik draai mijn glas tussen mijn handen.

'Zeg, hebben wij het nou gedaan vannacht, of niet?'

And now for something completely different, denk ik. Ik ken niemand die zo handig van onderwerp verandert als Marc. Even overweeg ik de waarheid te vertellen. Ik had last van territoriumdrift, schat. Als een hond voelde ik de onstuitbare behoefte de door een andere hond beplaste boom te beplassen. Ik heb toegegeven aan diepe instincten die sterker waren dan mezelf. *It was beyond my control*, een zin die Marc in het verleden graag gebruikte om zijn ontrouw te vergoelijken. Gepikt van John Malkovich uit *Dangerous Liaisons*.

Ik schud ontkennend mijn hoofd.

'Je moet gedroomd hebben, schat.'

'Ik zou toch zweren dat we amoureus bezig zijn geweest. Het deed me aan vroeger denken.' Hij geeft me een tik op mijn kont.

'Nou, drink es een beetje door. Zo wordt het nooit gezellig.' Weer lacht hij nerveus. Ik word heel rustig van zijn nervositeit. Ik neem een klein slokje champagne. Het laatste wat ik wil is dronken worden. Dan krijgen we misschien wel weer zo'n vertoning als gisteren, of erger: een verzoening. En dat hij daarop uit is, moge duidelijk zijn. Maar ik moet bekennen dat het me niet onberoerd laat. Hij staat heel erg zijn best te doen, op zijn manier. Eigenlijk heel lief.

'Je bent eigenlijk best wel lief,' zeg ik.

'Natúúrlijk ben ik best lief. Als je het maar wilt zien. Kom nou es hier.'

Langzaam loop ik naar hem toe. Hij slaat een arm om me heen.

Mijn gezicht leunt tegen zijn streepjesoverhemd. De hand met het glas voorzichtig tegen zijn rug. Mijn andere arm hangt slap langs mijn lichaam. Ik sluit mijn ogen en geniet even van het vertrouwde gevoel.

'Geef me es een zoen.'

Ik geef hem een zoen op zijn wang. Hij ruikt een beetje zurig. Het herinnert me aan wat ik wil zeggen.

'Marc, ga es zitten.' Ik zeg het zachtjes. Voorzichtig, om niets te breken. Ik zet mijn glas op de salontafel.

'Hoeps, gaan we serieus worden? Je gaat me toch niet ten huwelijk vragen, hè? We zijn al getrouwd, hoor.'

'Ik heb er nog eens rustig over nagedacht.'

'Niet zeggen, niet zeggen. Ik ben een egoïst. Weet ik. *A selfobsessed narcissist.* Dat was ik toch?' Weer nerveus gegiechel. Lachen gaat hem niet gemakkelijk af. Het gaat niet vanzelf. Hij moet er moeite voor doen. Alsof zijn lachspieren zijn vastgeroest.

'We gaan het veel meer doen zoals jij het wilt. Sterker nog, we gaan het allemáál doen zoals jij het wilt. Wat wil je? Zeg het maar. Verhuizen? Adopteren? Een hond?'

Ik kijk hem aan en neem zijn gezicht in mijn handen. Een zenuwtrekje schiet door zijn wang.

Fascinerend dat een advocaat zo contactgestoord kan zijn. Iemand die zich zo moet inleven in anderen, en in de rechtszaal een pleidooi kan houden waarin verzachtende omstandigheden aannemelijk worden gemaakt, maar in zijn persoonlijk leven totaal niet in staat is zich te uiten.

'Ik wil weg.'

Er valt een ijzige stilte.

'Ik begrijp het niet,' stamelt Marc.

'Ik ga bij je weg. Dat moet. Het is beter. Voor jou, voor mij. Geloof me. Jij weet het, ik weet het.'

Langzaam zakt hij op de bank en hij begint zacht te huilen. Het breekt mijn hart. Niets is erger dan een huilende man. Ze kunnen liegen dat ze barsten maar als ze huilen is het echt.

Het liefst wil ik 'hallelujah niks aan de handah' roepen, hem omhelzen en het eten klaarmaken, alles vergeten en vergeven. Maar iets anders in mij is sterker. Iets wat zich heel lang heeft laten wegduwen. Het is een kracht die mijn veilige bestaan omver zal trekken, omdat het geen veilig bestaan is. Het is een schijnveiligheid waarmee ik iedereen, inclusief mezelf, voor de gek hou. We spelen het spel en iedereen doet mee. We spelen vadertje en moedertje, we spelen dat we gelukkig zijn. En in de krochten van onze ziel verlangen we naar een ander leven waarvan we hopen dat het beter zal zijn. En nooit hebben we de moed dat leven bij de ballen te grijpen.

'Maar ik hou van je,' snottert Marc. 'Wat moet ik nou?'

Ik sla mijn arm om hem heen en wieg hem troostend heen en weer.

'Wij willen helemaal niet getrouwd zijn. We doen alsof we dat willen omdat het makkelijker is. We zijn twee schone-schijn-ophoudertjes. Ik wil niet meer bij elkaar blijven omdat ik bang ben niemand meer te vinden. Ik wil niets meer doen uit angst. Ik wil kijken naar wat ik wil en niet naar waar ik bang voor ben. Is dat gek? Ben ik gek?'

'Ik weet het niet. Ik snap het niet. Ik snap het gewoon niet. Ik snap niet waar je het over hebt. Het ging toch om Eva?'

'Ons huwelijk is een uitwisseling van diensten. Het is een ruilhandeltje. En volgens mij heeft dat niets met liefde te maken. Ik wil eerlijk zijn, Marc. In de eerste plaats tegen mezelf. Ik weet niet of me dat lukt, maar ik wil het in elk geval proberen. Ik wil je geen pijn doen. Ik wil je niet kwetsen. Ik wil alleen maar gelukkig worden. En als ik dacht dat ik met jou gelukkig kon worden dan zou ik er alles aan doen. Maar mijn gevoel wijst een andere kant op. En voor het eerst in mijn leven wil ik daar naar luisteren. En kijken waar het me brengt. Dat is alles. Dat is wat ik wil.'

Marc is stil en kijkt stilletjes voor zich uit.

'Hé.' Ik strijk hem door zijn haren. 'Gaat het?'

Geluidloos knikt hij.

'Snap je het nu?'

Weer knikt hij.

'Zal ik dan maar gaan?' Hij laat zijn hoofd in zijn handen zakken en begint weer te snikken. Ik sla mijn armen om hem heen.

'Niet doen. Niet huilen. Daar kan ik niet tegen,' huil ik mee. 'Ik wil gelukkig worden met mezelf, door mezelf. En niet meer afhankelijk zijn van de schouderklopjes van een ander. Ik ben als een afgericht dier dat zijn kunstje doet voor een lekker hapje.'

'Maar zo zit de wereld toch in elkaar?' zegt Marc en hij kijkt me oprecht verbaasd aan. Tranen in zijn ogen.

'Misschien. Ik weet het niet. Ik wil verder kijken. Ik heb zo'n gevoel dat het ook anders kan. En ik wil daar niet meer aan voorbijgaan. Ik wil niet langer aan mezelf voorbijgaan. Het gaat om mij, om mijn leven. Mijn hele leven heb ik naar andermans pijpen gedanst en nu wil ik leven op mijn eigen voorwaarden.'

Leven op mijn eigen voorwaarden, die moet ik onthouden. Goeie tekst.

'We kunnen toch een tijdje afstand nemen, tijdelijk uit elkaar. We hoeven toch niet meteen alle schepen achter ons te verbranden? Dit is een opwelling, Isabelle. Je bent labiel. Doe geen domme dingen.'

'Ik doe geen domme dingen. Ik doe alleen dingen die jou niet uitkomen. Waar denk je aan als we vrijen? Denk je net als ik aan een ander?'

'Ja. Dat is toch normaal?'

'Volgens mij niet. Ik wil liefde. Vrijen met open ogen met een man van wie ik hou. Met een man aan wie ik denk.'

'Ik heb je daar nog nooit over gehoord.'

'Ik heb veel tijd gehad om na te denken de laatste tijd.'

'Die tijd heb je goed gebruikt dan. Ik wil niet dat je weggaat. Ik wil dat je blijft.'

'En dan?'

'Dan gaan we heel gelukkig worden.'

'Hou toch op met die onzin. Dat is toch kindertaal, Marc. Ik geef je nergens de schuld van. Wij houden niet echt van elkaar. Wij komen elkaar goed van pas. En dat heb ik heel lang niet zo'n punt gevonden, maar nu wel.'

De verwarring op zijn gezicht ontroert me. Ik realiseer me dat hij er niets aan kan doen. Hij deed wat hij dacht dat goed was. Als hij een beter plan had gehad, dan had hij dat uitgevoerd. Ik ben net zo schuldig als hij. Ik heb hem de illusie gegeven dat ik gelukkig was door overal mijn ogen voor te sluiten, in de eerste plaats voor alles wat ik wilde en voelde en verlangde. Hij heeft mij belazerd met een dekbedhoezepoes, en god weet hoeveel andere dames, maar ik heb hem jarenlang belazerd door te doen alsof. Alsof ik gelukkig was, alsof ik klaarkwam, alsof hij de man was van wie ik hield.

'Het spijt me,' fluister ik. Zonder dat mijn gezicht beweegt stromen de tranen over mijn wangen. Ik streel zijn wang. 'Het gaat niet langer zo.'

Marc zegt niets. Hij kijkt verslagen voor zich uit.

'Maar wat wil je dan?' vraagt hij weer. Zijn stem klinkt schor.

'Geen idee. Daar ga ik proberen achter te komen. Ik wil iets anders. Ik wil niet langer dromen van een ander leven. Ik wil dat leven echt leiden. Gelukkig zijn. Echte liefde.'

'Weet je dan wat dat is?'

'Nee. Maar ik heb het voornemen om daarachter te komen. Er moet iets beters zijn dan dit. Misschien zit ik ernaast, Marc. Misschien zal ik eenzaam en alleen op een zolderkamer verkommeren. Soit. Maar ik wil niet doodgaan zonder het geprobeerd te hebben.'

Er valt een ongemakkelijke stilte. Ik ruik mijn eigen zweet. Ik heb vijfentwintig kilometer tegen de wind in gefietst en nog niet gedoucht.

'Ik denk dat het beter is dat ik ga nu.'

Marc knikt.

Ik sta op en loop naar boven. Ik neem een douche, trek mijn spijkerbroek aan en een wijd, wit overhemd. De slordig ingepakte, appeltjesrode nep-Louis Vuitton staat nog in de logeerkamer. Ik gooi mijn toilettas erbij en sjouw hem naar beneden, waar Marc nog steeds op de bank voor zich uit zit te staren.

Ik denk aan Tinke.

'Ik ga,' zeg ik zo kordaat mogelijk. 'Ik haal een andere keer de rest van mijn spullen wel op.'

'Waar ga je naartoe?'

'Ik zie wel.'

'Heb je geld?'

'Ja.'

'Hier.' Hij haalt zijn creditcard uit zijn broekzak.

'Neem deze maar. En doe geen gekke dingen.'

'Niet nodig, Marc. Ik red me wel.'

'Neem hem toch maar!' schreeuwt hij opeens.

Zwijgend pak ik de creditcard aan.

'Bedankt. Het spijt me.'

'Spijt is wat de geit schijt.'

Marc heeft zich hersteld en is weer de oude, boze Marc. Alle twijfel die ik mogelijkerwijs nog had, is op slag verdwenen. Ik wil dit niet meer, op eieren lopen. Los van alles wat ik zelf wil, wil ik niet meer bij deze man zijn omdat hij zijn boosheid op de wereld op mij projecteert. Ik moet de wereld mooi maken. Maar de wereld is niet mooi. *Deal with it.* Ik open mijn mond om het hardop te herhalen, maar Marc is me voor.

'Goed. Wat jij wilt.' Hij staat op, pakt mijn koffer en loopt ermee naar mijn auto. Ik loop achter hem aan, terwijl ik met trillende handen in mijn handtas naar mijn autosleutels zoek.

'Als je je alleen wilt gaan redden, mag je wel wat georganiseerder worden. Ze liggen in de keuken. In de fruitschaal.'

Ik ren terug naar binnen. Ik hou van dit huis. Ik had er graag nog even alleen willen zijn om er afscheid van te nemen. Daar ben ik sentimenteel in. Mijn man verlaten oké, maar een huis verlaten is andere koek. Per slot van rekening heb ik er meer tijd mee doorgebracht dan met Marc. Ik check of mijn huissleutel nog aan mijn bos zit. Als hij weet waar ze liggen, heeft hij ze er misschien afgehaald. Nee. Ze zitten er nog aan. De grote steeksleutel van de voordeur en de kleine goudkleurige voor het lipsslot van het paleis met gouden muren.

Ik loop weer naar buiten, waar Marc met een wit weggetrokken gezicht bij mijn donkerblauwe Alfa Romeo Giulia staat, dertig jaar oud en piekfijn onderhouden. Daar was Marc erg goed in, in auto's. Ik vraag me af hoe lang deze oldtimer het volhoudt zonder zijn supervisie. Dat wordt een abonnement bij de plaatselijke garage, ben ik bang. Marc lag er hele zondagen aan te sleutelen. Het was zijn grootste hobby.

'Heb je de koffer in de auto gezet?'

'Nee, ik heb hem over de heg gegooid, nou goed? Natuurlijk heb ik je koffer in de auto gezet.'

'Dag Marc.' Ik geef hem een zoen op zijn wang. Ik voel hoe hij even zijn arm om mijn middel legt en hem snel weer terugtrekt.

'Ja, ga nou maar. Het is goed zo.'

'Je kunt me altijd bellen als er iets is.'

Ik zeg de meest vreselijke dingen omdat ik niet weet wat ik moet zeggen of doen. Het gaat snel allemaal. Het verhaal gaat sneller dan mijn hersens kunnen bijbenen. En zo loop je altijd achter de feiten aan en weet je pas achteraf of wat je doet goed is. Het leven moet vooruit geleefd worden maar kan alleen achteraf begrepen worden, Søren Kierkegaard. Fijne filosoof maar je schiet geen bal op met die wijsheid. Ik loop om de auto heen en til aarzelend mijn hand op. 'Nou, dag.'

Marc draait zich om en loopt het huis binnen, de deur valt met een klap achter hem dicht. Achter het houten stuur van mijn Alfa haal ik een paar keer diep adem. Niet huilen. Ik ga niet huilen. Verstand op nul, blik op oneindig. Richt je aandacht op wat je wilt. Niet op waar je bang voor bent. De stem van Tinke klatert door mijn hoofd. Tinke. Ik pak mijn mobiel en toets haar nummer in, onderwijl start ik de auto. Ik hou van het donkere, ronkende geluid van mijn Alfa. Mijn auto is mijn vriendje. Mijn tweede huis. Op dit moment mijn enige huis.

13

THE TURN OF THE CARDS

'Hallo, lieverd.'

Ze neemt altijd op een hartverwarmende manier op. Meteen welkom.

'Hi.' Mijn kin begint te trillen en ik voel me net een vijfjarige die naar haar moeder wil, al is mijn moeder op dit moment de laatste naar wie ik toe zou willen rennen.

'Ben je thuis?'

'Dat kun je toch vanuit je raam zien, schat.'

'Ik zit in de auto. Goed als ik even langskom?'

'Goed, schat.'

Ik rij achteruit het hek door. Extra voorzichtig, want het is me tot twee keer toe gelukt om het hek te rammen met een gangetje van tien kilometer per uur. In een poging om het aan Marc te vertellen zonder dat hij boos zou worden, heb ik de auto met de beschadigde kant naar de heg geparkeerd en nadat ik hem een halve fles champagne had gevoerd en hij met een tevreden glimlach op de bank zat, heb ik hem mee naar buiten genomen.

'Ogen dicht,' zei ik alsof ik een cadeautje voor hem had. Vol verwachting deed hij zijn handen voor zijn ogen. Ik nam hem bij de hand en liep naar de beschadigde auto. 'Verrassing!' riep ik vrolijk.

Ik had zijn hersens voorgeprogrammeerd op iets leuks en bij het zien van de deuk schoot hij spontaan in de lach.

'Vind je het niet erg?'

'Welnee, het is maar blikschade.' Hij sloeg een arm om me heen en samen liepen we weer naar binnen. Een uur en een fles champagne later werd hij alsnog woedend. De dinosaurusreactie, noemde ik dat. De afstand naar de hersens was zo groot dat de reactie op de klap pas een uur later kwam.

Tinke doet de deur open.

'Wat is er, schat? Is het zover? Kom je een kopje warmte halen?'

Haar derde oog werkt weer op volle toeren. Bij Tinke hoefde ik niet aan te kloppen voor een kopje suiker. Dat gebruikt ze niet, het witte gif, noemt ze het. Ze heeft me ooit een beeldig theekopje voor mijn verjaardag gegeven met daarop de tekst EEN KOPJE WARMTE. Als ik met dat kopje in mijn handen aanbelde, hoefde ik niets uit te leggen. Dan deed zij de rest.

'Ik wil alleen even twee armen om me heen. Dan ga ik weer.'

'Kom maar.' Ze klopt zachtjes op mijn rug. Ik ben drieënveertig en moet een boertje. Ik begraaf mijn gezicht in een walm Mitsouko. Een geur van Guerlain die uren blijft hangen, waardoor Tinke altijd traceerbaar is. Haar geurvlag, noemt ze het.

'Waar ga je naartoe?'

'Geen idee. Nog niet over nagedacht.'

'Je mag wel hier blijven slapen.'

Ik begin te gieren van het lachen. Bij gebrek aan een andere duidelijke emotie is dat altijd de beste oplossing.

'Hè ja, wat een goed idee. Ik kruip in het huis naast mijn eigen huis, dan kan ik hem in de gaten houden. Dan kunnen we elkaar beloeren door het gat in de heg, elkaar bestoken met minnaars en elkaar het leven zuur maken.'

'Ik bedoelde een nachtje,' zegt Tinke gedecideerd.

'Ja natuurlijk, dat snap ik.' Ik ben allang blij dat ik eindelijk weer ergens de humor van in kan zien. Een dag niet gelachen, is een dag niet geleefd.

'Kopje thee?'

'Nee, het is beter dat ik meteen ga.'

Maar Tinke heeft zich al omgedraaid en loopt naar de keuken.

Ik loop achter haar aan. Onderweg loop ik tegen drie wind chimes aan, allemaal in een andere toonsoort. Tegen de tijd dat je binnen bent, is je energiepeil op orde en staan je chakra's allemaal in dezelfde richting te salueren.

'De thee is klaar in een wip,' kwinkeleert ze.

Met geen honkbalknuppel omver te krijgen deze vrouw.

'Ik zal even een kaartje voor je leggen. Dan kun jij intussen nadenken over waar je naartoe gaat.'

Zonder verder iets te vragen pakt ze het pak tarotkaarten en gaat aan tafel zitten.

Als ik ergens geen zin in heb, is het iemand die aan de hand van een ludiek spel kaarten gaat bepalen of ik een goede beslissing heb genomen. Stel je voor dat het antwoord met koeienletters NEE is. Ik kan moeilijk terugwandelen met de mededeling: 'Sorry Marc. Je weet, ik hou van een geintje. Ik was benieuwd hoe je zou reageren. Schuif es op, ik kom gewoon weer naast je zitten. Wat is er op tv vanavond?'

Met haar ogen dicht laat Tinke haar hand over de stapel kaarten gaan.

'Zeg je naam maar even.'

Ik begin ongemakkelijk op mijn stoel te draaien en schraap mijn keel.

'Tinke,' zeg ik voorzichtig. 'Ik... ik geloof niet dat ik dit wil.'

Ze opent één oog, waarmee ze me doordringend aankijkt. Ondertussen gaat ze door met haar ritueel. Als een volleerd croupier schudt ze de kaarten.

'De tarotkaarten kunnen je vertellen hoe je het verder moet aanpakken, schat. Wat jouw weg is.'

Ze trekt een kaart en draait hem om. Hij laat een man zien die ondersteboven aan een boom hangt. Dat voorspelt niet veel goeds.

'Het is goed voor je om een tijdje alleen te zijn.'

Zover was ik zelf ook al, mopper ik in gedachten. Ik schuif op mijn stoel. Ik wil mijn thee snel opdrinken en wegwezen.

Ze trekt nog een kaart, deze laat een afbeelding zien van de zon uit de *Teletubbies*.

'Ah, het lachende kind. Dat is mooi. Dat is een goed voorteken.'

'Tinke, sorry, je bent een schat, maar ik heb hier nu niet zo'n zin in. Ik wil proberen op mijn eigen kompas te varen. Later misschien. Niet nu.'

'Altijd nu, liefje,' zegt ze met nadruk. 'Nooit vergeten.' Ze pakt mijn hand met twee handen vast. 'De belangrijkste wijsheid van het leven. Er is alleen nú. Onthou dat. Concentreer je daarop. De toekomst is een illusie en het verleden een herinnering. Alles wat je hebt, is nu. Vraag je af wat je wilt zonder aan iemand anders te denken, al valt de hele wereld over je heen. Gewoon om uit te proberen. Bij wijze van experiment. Wat goed is voor jou, is goed voor de ander. Kijk wat het je oplevert. Verdwaal. Wijk van het gebaande pad. Ga het enge bos in. Wie weet hoe leuk het daar is. Maak er wat moois van. En bel me als je me nodig hebt.'

'Altijd en alleen maar.'

Ze drukt me tegen zich aan.

'Je gaat heel gelukkig worden, lieverd. Wacht maar af.'

Als ik weer in de auto zit komt ze het huis uit rennen met een envelop in haar handen.

'Kijk hier maar eens naar. Het zal je helpen.'

Het is een dvd van *The Secret*.

14

DE WONDERSTRAAL

Het laatste album van The Beatles zit in de cd-speler: *Love.* De remixen van George Martin. Bekende songs die dwars door elkaar heen lopen, de zang van het ene nummer wordt gecombineerd met de muziek van het andere, gitaarsolo's die heel ergens anders opduiken. Tracks die achterstevoren worden gedraaid. Hij heeft er een ratjetoe van gemaakt. En het is prachtig. Wanneer de eerste akkoorden van *I wanna hold your hand* worden ingezet en het gejoel van het publiek aanzwelt, parkeer ik de auto langs de kant van de weg om het een kwartier onbedaarlijk op een janken te zetten. Of het verdriet, puur geluk, opluchting of doodsangst is, is me niet duidelijk. Wel weet ik dat de stemmen van The Beatles uit mijn vroegste kinderjaren stammen en me zeldzaam vertrouwd voorkomen. Op dit moment is dat het enige in mijn leven wat heel dichtbij en vertrouwd is. De muziek waar ik van hou.

Ik wrijf mijn gezicht droog. Ophouden met dat gejank nu. Ik moet verder met de rest van mijn leven. Ik ben weer single. In mijn jeugd was dat nog een schijfje vinyl waar muziek op stond, maar de tijden zijn veranderd. Single.

Ik kan altijd bij Janine terecht, geen probleem. 'Het is goed voor je om alleen te zijn'. Misschien moet ik dat maar even heel letterlijk nemen. Ik snuit mijn neus en inspecteer mijn gezicht in de achteruitkijkspiegel. Een kleine renovatie kan geen kwaad. Er ligt altijd een tube dagcrème in het dashboardkastje voor eventuele calamiteiten. Ik knijp een klodder in mijn hand en smeer mijn gezicht en de wallen onder mijn ogen ermee in. Het helpt niet. Ik zie er nog steeds niet uit. Jammer dan.

Ik start de auto en zet koers naar Zeeduin. De beste plek om alleen te zijn, is nog altijd een hotel. Het niemandsland van een hotel doet wonderen voor mijn gemoed. Goed voor *instant happiness*. Samen met vliegvelden, waar ik, ondergedompeld in anonimiteit, kan zijn wie ik wil zijn. Waar ik, behalve kredietwaardig zijn, nergens aan hoef te voldoen. Iedereen is vriendelijk omdat ze daarvoor betaald worden. Soms nog gemeend ook.

'Mevrouw Hubar, welkom!' De receptionist herkent me en put zich uit in vriendelijkheid. Precies wat ik nodig heb. Ik heb nu al een nieuw thuis.

Soms, als de sfeer te snijden was, nam ik een of twee dagen mijn intrek in dit hotel. Ik liet een paar maaltijden voor Marc achter in de koelkast en nam de kuierlatten. Een heel enkele keer met een minnaar, maar meestal alleen; om een goed boek te lezen, afgewisseld met slechte porno op pay-tv. Daardoor verlepte mijn verlangen naar seks dusdanig dat terugkeren naar huis niet meer zo erg was.

Ik heb ooit overwogen om er iets van te zeggen. 'Jongens, voor die prijs kunnen jullie toch wel kwaliteitsporno leveren met mooie mensen en met interessante seks in plaats van die geblondeerde in het Engels nagesynchroniseerde Poolse rotzooi?' Maar ik vermoed dat dit hotel daar te keurig voor is. 'We doen er wel aan, maar het mag niet echt lekker zijn, daar zijn we te onberispelijk en te chic voor.'

Ik heb het pas aangedurfd nadat me duidelijk was dat het niet op de rekening te zien was naar welke film ik had liggen kijken. En nog steeds betaalde ik met knalrode kop mijn rekening, alsof ik moest bekennen dat ik de hele minibar had leeggezopen. Bang dat me behalve: 'Hebt u nog iets uit de minibar gebruikt?', me ook de vraag zou worden gesteld: 'Hebt u nog wat porno liggen kijken vannacht?'

Ik zou willen antwoorden met: Zeg maar, mevrouw Harteveld, het ligt op het puntje van mijn tong, maar ik hou mijn mond. Mevrouw Hubar logeerde hier weliswaar alleen, maar wel met een fijne, succesvolle echtgenoot thuis op de bank. Ik ben ook graag alleen, maar bij voorkeur als er thuis iemand op me wacht. Dan is alleen zijn een luxe. En geen status-quo. Geen toestand waar iets aan gedaan moet worden of waar ik me voor moet schamen. Als mevrouw Harteveld ben ik gescheiden en naar alle waarschijnlijkheid op zoek naar een nieuwe man. Dat vind ik geen prettig idee. Dan heb ik een label. Het beeld wat deze mensen van mij hebben, is prima. Houden zo.

'Hebt u een kamer met uitzicht op zee? Liefst op de bovenste etage. Uit de buurt van de lift.'

Ik wil uitkijken over de einder. Mijmeren over mijn nieuwe horizon. De zon zien zakken. Wachten op de wonderstraal. Het zeldzame fenomeen dat zich voor kan doen, vlak voor de zon volledig in zee zakt. Het zien van de groene flits brengt geluk. Het is een heldere dag. Misschien heb ik mazzel.

'Natuurlijk, mevrouw.'

'Zeg maar Isabelle, hoor. En je mag ook "je" zeggen.' Vanavond zijn deze mensen mijn familie. Dit is waar ik woon. 'Zeg maar je.'

'Natuurlijk, mevrouw.'

'Isabelle, zeg maar Isabelle,' zeg ik met de vriendelijkste glimlach die ik vandaag in huis heb. Ik moet nieuwe vrienden maken. En ik ben er nu al mee begonnen. Hoe treurig kan het worden. Ik sta vriendjes te worden met de receptionist van het hotel.

Hij glimlacht en neemt weer positie.

'Kamer 604.'

'Lijkt me prima.' Ik stuur nog een stralende glimlach zijn kant op, neem het codekaartje in ontvangst en loop naar de lift. Op naar de slechte porno, denk ik jolig. Mijn donkere bui begint weg te trekken. Zet me in een hotel, laat me leven in een hotel, en alles is goed. Ik hoef niets en ik moet niets. Ik mag zijn wie ik wil zijn.

Als ik ophou een gescheiden vrouw te zijn, wie ben ik dan?

De kamer heeft twee openslaande deuren naar het balkon. Er staan twee lelijke witte plastic stoeltjes op. Beneden op het terras is er meer aandacht aan besteed. Daar staan zelfs ouderwetse rieten kuipstrandstoelen. Met een beetje fantasie zien we hier een tafereel uit *Death in Venice*. Ik hoef alleen de dwarsgestreepte badpakjes erbij te denken en de jonge, blonde god die uit zee komt rennen, Tadzio. Ik zag de film laatst weer en realiseerde me toen pas dat Dirk Bogarde in feite een pedofiel speelt. Verliefd op een jongen van veertien. Zo jong hoeft hij van mij niet te zijn. Hij hoeft helemaal niet jong te zijn, als hij maar lief en lekker is. Meer staat er even niet op mijn verlanglijstje. Godallemachtig, ik ben koud twee uur bij mijn man weg en ik sta al over de volgende na te denken. Wat is dat toch in een vrouw dat ze altijd een man moet hebben? '*A woman without a man is like a fish without a bicycle*,' zou Janine zeggen. Zij heeft er geen last van. Maar ik wel. Het is me nooit gelukt om langer dan een maand of twee alleen te zijn. Relatieverslaafd. Het is hoog tijd om af te kicken.

Ik klap mijn koffer open en bekijk de inhoud. Ik heb razendsnel een uitstekende basisset samengesteld. Waarschijnlijk heb ik onbewust mijn vluchtkoffer al zo vaak gepakt dat er geen enkele twijfel bestond over wat ik er mee moest. Bovendien, veel meer dan de spijkerbroek die ik nu aanheb, en een jurk heb ik voorlopig toch niet nodig. *I travel light.* Dat en een paar open schoentjes met duizelingwekkend hoge hakken. Allicht. *Where would I be without my high heels.* Geen ondergoed, vergeten. Geen probleem. Ik spoel mijn slipje wel onder de douche uit.

Ik heb zelfs het goede seizoen uitgekozen om te vertrekken. In de zomer heb je niets nodig. Mijn maag knort. Ik heb de hele dag nog niets gegeten.

Ik doe wat mascara en lipgloss op en ga naar het restaurant. Ik kies een tafeltje bij het raam. De zee is rustig. De zon hangt laag. Een feloranje bal in een wolkeloze lucht. Niets is mooier dan de zon in het water te zien zakken. En altijd het gesis erbij denken. Dat deed ik als kind al en ik doe het nog steeds.

Ik heb de andere gasten pijlsnel opgenomen en er zit niet één leuke man bij. Dat wordt slechte porno vanavond, denk ik en ik grinnik om mijn eigen binnenpretje. Met het afkicken wil het nog niet vlotten maar met mijn humeur gaat het de goede kant op.

Misschien moet ik gewoon mijn intrek in dit hotel nemen en niet meer weggaan. Dan ben ik een *residential guest*, zoals in het Chelsea Hotel in New York gebruikelijk is en word ik een zonderlinge oude vrouw. Dan ben ik overal van af. Ik breng de dagen door met lezen en wandelen. Ik vertel niemand dat ik hier ben en verdwijn. Ik heb het gevoel dat ik ook altijd in een vliegtuig heb, het gevoel dat ik onderweg wil blijven en nergens wil aankomen zodat ik niet verder hoef te gaan met mijn leven. Ik wil een sabbatical. Een sabbatical van mijn leven. Een sabbatical van mijn hoofd, want daar veroorzaak ik alle narigheid mee. Ik ben een tobber. Ik tob de hele dag. Over alles waar maar over te tobben valt. Nu zit ik te tobben over waar ik in godsnaam moet gaan wonen en hoe het verder moet met mij. Tinkes stem klinkt. 'Je hebt alleen nú.' Nou, vooruit dan maar. Nu. Ik heb alleen nu en daar moet ik het beste van maken. Ik bestel een glas champagne en het verrassingsmenu met bijbehorend wijnarrangement. Wat kan mij het schelen.

'Zal ik uw tas op de stoel zetten?' vraagt de ober en hij zet hem op de stoel tegenover me. Of hij het doet omdat het hotel liever geen tassen op de grond ziet of omdat hij me het uitzicht op een lege stoel wil besparen, is me niet duidelijk. Even overweeg ik een goed gesprek met mijn handtas te beginnen maar ik hou me in. Vier gangen en vijf glazen wijn verder zit ik met een gelukzalige glimlach uit het raam te kijken. Eten maakt gelukkig, daar kan ik kort over zijn. Wanneer ik naar het toilet ga om mijn handen te wassen, moet ik mijn best doen recht te lopen. Ik test of ik in één beweging het puntje van mijn neus kan vinden door te doen of ik jeuk heb. Helaas heeft het tapijt geen witte streep waar ik overheen kan lopen, een beetje onvast ben ik wel. Mijn torenhoge naaldhakken helpen niet. Vrouw alleen en een beetje dronken, dat is treurig. En treurig willen we niet zijn. Het is een goede dag. Een fijne avond. Ik ben hier om een heuglijk feit te vieren. Een espresso en, nou vooruit, nog een glaasje amaretto en ik ben klaar voor de avond. Geen aanspraak zoeken nu. Ik heb weinig alcohol nodig om wartaal uit te slaan, die voor mijzelf nog steeds reuze begrijpelijk is, overigens. Laat ik het de andere gasten maar besparen. Al was het alleen maar om het beeld van 'mevrouw Hubar is een prettig dagje op zichzelf' niet te laten omslaan in 'het gaat niet zo goed met mevrouw Hubar, zou haar huwelijk zijn gestrand?' Nee, dat moeten we niet hebben. Alleen blijven. Dat is beter. Op de vraag of ik koffie of thee wil, antwoord ik met dubbele tong: 'Koffie graag, met een amaletto.'

Ik trek mijn schoenen uit en loop over het strand naar de branding. Ik loop een stukje het water in. Er scheert een frisbee langs mijn hoofd, gevolgd door een enthousiaste labrador die door het water plonst en me bijna omverloopt. Zijn baasje excuseert zich.

'Geeft niks,' glimlach ik er zo charmant mogelijk op los. Mijn schoenen bungelen nonchalant in mijn hand. Ik ben als Dirk Bogarde op het strand van Venetië. Eenzaam. Melancholiek. Op zoek naar vergeten geluk.

En een beetje dronken.

Ik ga in kleermakerszit op het warme zand zitten. De zon is bijna verdwenen. Ik concentreer me op de horizon, in hoopvolle afwachting. Ik sluit mijn ogen en op het moment dat ik ze weer open, laat de zon haar bovenste rand in de zee zinken en zie ik een groene flits, de wonderstraal. Een leven lang geluk. Dat is nog eens een hoopvol begin van mijn nieuwe leven.

Midden in de nacht schrik ik wakker van de schelle piepjes van mijn mobiel. Janine.

Het is oké. Je kunt er morgen in als je wilt. Kus.

De wonderstraal werkt nu al. Zie je wel. Alles komt goed. Met die geruststellende gedachte val ik weer in een diepe slaap.

15

COUNT YOUR BLESSINGS

'Je kunt hier voorlopig blijven, want hij is betrokken bij een tentoonstelling die zeker nog een maand of drie duurt. Bovendien is hij nooit langer dan een paar dagen in Amsterdam. In het ergste geval kun je dan bij mij logeren.'

Janine laat me het appartement van Diederik de Jong zien. Ik ben de voorzienigheid dankbaar. Als iets moeilijk is in Amsterdam, dan is het wel het vinden van een huis en binnen een dag ploft er een etage voor mijn voeten. Julie Andrews begint op haar zoetst te zingen in mijn hoofd. *Somewhere in my youth or childhood I must have done something good.*

Het is een kaal maar functioneel appartement. De muren zijn hoog en wit. Er staat een grote, zwarte tafel in de kamer met zes stoelen eromheen en een klein, witleren tweezitsbankje staat in de hoek. Een immens lcd-scherm staat op een lichtblauw gelakt designdressoir. Aan de muur hangt veel mannelijk naakt.

'Hij verzamelt schilderijen van boksers.'

'Ja, ik zie het.'

Ik kijk in het rond. Er hangt een grote aquarel van een naakte, bezwete neger boven het witte bankje. De man laat zijn hoofd hangen en houdt zijn bokshandschoenen voor zijn kruis.

'Gezellig cocoonen is er hier niet bij.'

'Dan kom je dat maar bij mij doen. Hier wordt gewerkt.'

Ze geeft me een por in mijn zij en grijnst.

'Ook weleens goed voor je. Er is één kleinigheid. Het appartement heeft geen keuken.'

'Geen keuken? Maar wat is dat dan?' Ik wijs naar de open keuken in de woonkamer.

'Nou ja, er is wel een aanrecht met kastjes, maar afgezien daarvan is er niets. Er staat een espressoapparaat en een magnetron, daar moet je het mee doen. Died eet altijd buiten de deur.'

'Wat idioot. Je wilt 's ochtends toch een eitje kunnen koken?'

'Sommige mensen niet, schat. Deze kant op. Hier is trouwens de badkamer.'

Zwarte, glanzende tegels. Een spiegel van wand tot wand. Spotjes in het plafond. Als ik in de kamerbrede spiegel kijk, werpen ze een schaduw over mijn gezicht die me twintig jaar ouder doet lijken. Hoe verzint iemand het om zulk licht in de badkamer te plaatsen. Dan moet je een onwrikbaar zelfvertrouwen hebben. Ik doe een stap naar achteren. Dat helpt, maar niet veel. Het is te hopen dat Diederik ook een vriendelijke spiegel in huis heeft.

De slaapkamer ligt aan de voorzijde van het huis. Zwarte velours gordijnen. Een antieke, notenhouten kast en een absurd groot bed. Het staat midden in de kamer met openslaande deuren met een Frans balkon. Ik kijk naar buiten. Aan de overkant van de straat staat een blauwgrijze Peugeot 504 cabriolet, mijn lievelingsauto.

'Van wie is die auto?'

Janine komt naast me staan en haalt haar schouders op.

'Geen idee. Nooit zo op gelet. Het is voor het eerst dat ik hem zie. Hoezo?'

'Ze zijn vrij zeldzaam en purachtug.' Ik heb het Loes Luca ooit in onvervalst Rotterdams horen zeggen in een voorstelling en ik heb het overgenomen. Purachtug als de overtreffende trap van prachtig.

'Boeiend.' Janine kijkt op haar horloge. 'Zeg. Ik laat je even alleen met je nieuwe huis. Ik ga aan het werk. Ik moet morgen een interview van tweeduizend woorden inleveren.' Ze is freelancejournaliste.

'Vanavond een pastaatje happen hier in de buurt?'

'Oké, gezellig.'

'Daarna een oude aflevering van *The Mentalist* kijken? Wegzwijmelen bij Simon Baker?'

'Lijkt me heerlijk.'

'Goed, ik zie je straks.' Ze loopt de kamer uit, draait zich om, rent terug en omhelst me. 'Ik ben blij voor je,' zegt ze zacht. 'Voel je je goed?'

Ik knik.

'Mooi. Tot straks.'

'Hier, bijna vergeten. Ik heb het mailtje dat Diederik me heeft gestuurd met wat aanwijzingen voor je uitgeprint.'

Belle, schat,

Je bent van harte welkom in mijn nederig stulpje. Make yourself at home.

Vaak en hard 'ze mag 'm hebben' zingen en je bent er zo weer bovenop. Dat doe ik ook altijd ☺.

Zou je zo vriendelijk willen zijn altijd je schoenen uit te doen. De houten vloer is erg gehorig. De onderbuurvrouw is doof, maar hoort alles.

Zoals je zult zien heb ik weinig spullen. Dat geeft ruis. En ruis is niet goed.

Mijn keuken stelt niet veel voor. Daar ga je maar van bakken en frituren en daar word je dik van. Dat is ook niet goed. Moderniteiten als een gasfornuis en een wasmachine heb ik afgeschaft. Het zijn lelijke dingen en lelijke dingen moet je mijden als de pest.

Er is wel draadloos internet. De beveiligingscode vind je in het dressoir.

Als er vragen zijn, feel free to ask.

Died

Ik sleep mijn koffer de slaapkamer in en gooi hem op bed. Ik hang mijn kleren in de antieke garderobekast, keurig ingedeeld in een hang- en leggedeelte. Aan de binnenkant van de rechterdeur is een grote spiegel bevestigd, een ouderwetse met geslepen randen. Het licht valt mooi gelijkmatig in de kamer. Voilà, de vriendelijke spiegel.

Het is een bloedhete dag. Ik draai me om en open de deuren naar het balkon. Mijn oog valt weer op de blauwgrijze auto die aan de overkant staat te glanzen. Goed onderhouden, constateer ik. Ik weet niet veel van oldtimers, alleen dat ik ze mooi vind en ik wil altijd weten wie de eigenaar is.

Ik wandel door het huis en laat mijn nieuwe realiteit indalen.

Tel je zegeningen, een van de weinige wijsheden uit *De avonturen van Kareltje en Pareltje* die ik met enige regelmaat toepas.

De zon schijnt, ik heb een huis, een bed om in te slapen, een koffer vol met kleren en wat geld achter de hand. Dankjewel, pap. Op aanraden van een vriend heeft hij ooit een pakket aandelen gekocht, waar hij daarna nooit meer naar heeft omgekeken. De aandelen heeft hij aan mij nagelaten. Ze bleken intussen een klein fortuin waard te zijn. Ik heb ze verkocht en het geld op een bankrekening gezet. Voorlopig zing ik het wel even uit. Een stil, zacht geluk stroomt door mijn aderen.

Met mijn toilettas onder mijn arm loop ik naar de badkamer en stal mijn potjes en flesjes uit. Alles voor het gezicht rechts, alles voor de verzorging van het lichaam links van de wastafel. Ik hou de boel graag overzichtelijk. Ik stap onder de douche. De badkuip staat tegenover de spiegel. Ik kijk naar mezelf. Hoe het water glanst op mijn huid. Ik heb het nooit gemakkelijk gevonden naar mijn eigen lichaam te kijken. Er bekruipt me altijd een licht gevoel van schaamte alsof ik word gadegeslagen door een derde oog, een scherp beoordelend oog. Terwijl ik best een leuk lichaam heb. Het voelt lekker aan en doet het goed, dat vooral. Ik hou mijn buik in en neem een bevallige pose aan. Het ene been licht gebogen voor de andere. Vanaf hier is het licht van de spotjes zo slecht nog niet. Vooral met wat wasem op de spiegel. Geen ijdeltuit die Diederik, behalve onder de douche.

Ik droog me af en trek een kaftan aan. Ik hoop niet dat het weer opeens omslaat want ik heb alleen zomerkleding in mijn koffer. Anders leen ik wel even iets van Janine.

Hoe nu verder? Een huis voor mezelf zoeken. Dat in elk geval. En werk.

Ik heb kunstgeschiedenis gestudeerd. Liever was ik naar de kunstacademie gegaan; ik wilde fotografe worden. Maar daar was mijn vader mordicus tegen. 'Met kunst is geen droog brood te verdienen.' Meer woorden maakte hij er niet aan vuil. Meer woorden had zijn ontmoedigingsbeleid ook niet nodig. Ik zou roekelozer willen leven maar het derde oog houdt me tegen. Ik heb een geheime kamer in mijn hoofd, daar ben ik wie ik wil zijn. En nu wil ik die Isabelle vrijlaten. Loslaten in de echte wereld. Zal ze weten hoe ze moet overleven? Ik ben zo gewend te leven met een masker van ongenaakbaarheid, van de perfecte vrouw, de wenselijke vrouw. Die een beetje vreemd is omdat de echte Isabelle soms onverwacht om de hoek kijkt. Onhandig, stuntelig, angstig. Als een reiziger in een vreemd land.

Ik haal mijn laptop uit mijn koffer, zet hem naast het lcd-scherm op het dressoir. Ik sluit de kleine boxjes aan. Met de volumeknop voluit zet ik *I am free* van The Who op. Ik dans en zing mee met een denkbeeldige microfoon in de ene en een luchtgitaar in de andere hand. Pete Townsend doet het me niet na. Wanneer ik midden in de kamer sta te molenwieken op mijn luchtgitaar en een swingende draai maak, sta ik oog in oog met, vermoedelijk, de buurvrouw van Diederik.

'Ik staan hier al een kwartier te roepen onder aan de trap. De deur stond open dus ik dacht, ik stap maar binnen. Is er een feest?' zegt ze met een onvervalst Amsterdams accent. 'Ach meid, het leven is één groot feest zeg ik altijd, maar je moet wel zelf de slingers ophangen. Ja. Dat is toch zeker zo. Ik ben ook al vanaf mijn geboorte op de wereld dus ik weet wel het een en ander.'

'Sorry. Ik heb u niet gehoord. Hebt u last van de muziek?' Snel draai ik aan de volumeknop. 'Het spijt me van de herrie. Ik was in de veronderstelling dat u doof was.'

'Wat zeg ze?'

'Ik dacht dat u het niet zou horen,' zeg ik met luide stem.

'Ja, rustig maar, ik ben niet doof.'

Ah, een complex geval, deze buurvrouw.

Ik steek mijn hand uit en doe twee stappen naar voren.

'Ik zal me even voorstellen. Ik ben Isabelle Harteveld. Ik trek hier tijdelijk in.'

Ze schudt kort mijn hand en kijkt in het rond. 'Interessant,' zegt ze, terwijl ze over mijn schouder de kamer in kijkt.

'Hoe bedoelt u, interessant?'

'Nou, kan ik eindelijk es kijken hoe het er hier uitziet. Ik ben nog nooit boven geweest.'

'Kijkt u maar even, hoor.'

'O, krijg nou wat, het is groter dan bij mijn.'

En dat kan niet de bedoeling zijn, maakt de toon in haar stem me duidelijk.

'Tja. Dat is gek,' mompel ik.

'Maar ik heb wel een extra kamer.'

Ze heeft het tegen zichzelf. Ik heb niet het idee dat er een reactie van mijn kant verlangd wordt. Zonder verder iets te vragen, loopt ze de slaapkamer in.

Aarzelend loop ik achter haar aan.

'Goh, dat valt alles mee, zeg. Ik had minstens een klimrek boven het bed verwacht, of andere rare dingen.'

'Rare dingen?'

'Ja, hij is natuurlijk... uh...' Ze klopt ferm met haar vingers op de rug van haar andere hand. 'Izzie een vriendin van je?' Aan haar toon te horen, is het beter om ontkennend te antwoorden. Ze zijn geen vrienden, onze Died en de buurvrouw.

'Ja, zoiets.'

'Waarom hebbie zelf geen huis dat je hier moet logeren? Ben je soms weg bij je vent? Hebbie je geslagen, de ploert?' Ze stelt de vraag zonder enige terughoudendheid. Nieuwsgierigheid kent geen tijd. Ik blijf vriendelijk glimlachen, maar ik voel geen enkele aandrang om deze vrouw de waarheid te vertellen. *Anything you say can and will be used against you.*

'Ik heb een tijdje in het buitenland gewoond,' lieg ik erop los. 'Het is erg lastig om in Amsterdam een huis te vinden.'

'Kind, ik zou het niet weten. Ik woon hier al dertig jaar. De buurt is zo veranderd de laatste tijd. Het is niet meer wat het geweest is. Overal van die nieuwerwetserige bakfietsen voor de deur waar je je nek over breekt. Voor je het weet heb je een nieuwe heup nodig.'

'Tja, dat is niet zo mooi.' Ik wiebel ongeduldig van het ene been op het andere. 'Mevrouw, hoe was uw naam ook weer?'

'Groentebroer.' Ze steekt op haar beurt haar hand uit. Ik druk hem zo hartelijk mogelijk.

'Mevrouw Groenteboer, ik...'

'Nee, het is Groentebroer. Mijn naam is mevrouw Groentebroer. Met een rrr.' Ze laat hem lang doorrollen.

'Erg leuk met u kennis te maken. Komt u een andere keer nog eens boven voor een kopje koffie. Ik heb het een beetje druk nu.' Een betere smoes kan ik niet bedenken.

'Druk? Waarmee hebbie het druk dan? Je lijk mij helemaal niet druk, eerlijk gezegd. Sorry dat ik het zeg maar je lijk mij zo'n verwend nest. Wie op donderdagmiddag tijd heb om harde muziek te draaien, heb het niet druk. Toch? Maar ik ken d'r naast zitten natuurlijk.'

Amsterdammers heeft het nooit aan botte brutaliteit ontbroken. Amsterdammers hebben een goed hart, het zou alleen gekookt op hun rug moeten hangen, zo laag dat de honden erbij kunnen. Een tekst van Jules Deelder, die opeens door mijn hoofd schiet. Heel gek.

Ik wrijf wat zweet van mijn voorhoofd en denk aan Tinkes zeilboot en de zeilen, die hoognodig bijgesteld moeten worden. Grootzeil naar beneden, grootzeil naar beneden, mantra ik.

'Ik moet werk voorbereiden,' jokkebrok ik er weer op los. Het grote voordeel van ons aanpassertjes is natuurlijk dat we een uitstekend afgesteld antennestelsel hebben om af te tasten wat we moeten zeggen om het de ander naar de zin te maken. Dat is de grote kwaliteit van pleasertjes.

'Ik werk veel thuis. Ik ben fotografe. Dus ik werk thuis op de computer.' Ik wijs naar mijn Apple op het dressoir. 'Soms moet ik me even ontspannen, dan gooi ik alles even los, met de muziek hard aan,' benadruk ik. Waarom sta ik in godsnaam verantwoording af te leggen aan een vrouw die ik niet ken, die de buurvrouw is van iemand die ik niet ken? Afkappen nu. 'Maar het zal niet meer gebeuren. Ik moet nu weer nodig aan de slag,' zeg ik, terwijl ik de deur vastpak en hem verder opentrek ten teken dat het bezoekuur voorbij is. Tegelijkertijd inspecteer ik of er een goed slot op zit.

Wanneer ik haar de trap af hoor stommelen, pak ik mijn mobieltje en laat me op het witleren bankje ploffen. Het is lekker koel. Ik sms Tinke mijn verblijfplaats en:

Mis je nu al maar verder alles goed. XX

16

MOORKOPPEN EN MOKKATAART

'Wat moet dit voorstellen?'

Mijn moeder staat voor een groot schilderij dat in het midden van de muur hangt. Ik vermoed dat het een kubistische uiting van een fallussymbool is, maar ik ben bang dat ze gillend het huis uit rent als ik haar dat uitleg. Ik bedien haar van een gemakkelijk antwoord.

'Geen idee, mam.'

'Ik vind het niet mooi.'

'Nee, mam.'

'Wie zei je nou dat hier woont?'

'Diederik, mam.'

'Kan ik die ergens van kennen?'

'Nee, dat denk ik niet. Hij is een vriend van Janine. Hij is kunsthandelaar in New York.'

'O, vandaar al die rare schilderijen aan de muur. Is hij sporter?'

Ze heeft zich verplaatst en staat intussen voor de aquarel van de zwarte man met de bokshandschoenen voor zijn kruis. De onschuld die mijn moeder erin kan ontdekken, heeft iets schattigs. Elke seksuele verwijzing gaat aan haar voorbij. Wat moet mijn vader geleden hebben, denk ik onwillekeurig.

'Geen idee, ik ken hem niet zo goed. Hij is vooral kunstverzamelaar.'

'Ik kan de kunst er niet in ontdekken,' moppert mijn moeder.

Ik ga met mijn moeder om zoals je met een valse kat omgaat, uiterst voorzichtig.

Ik haal diep adem, zet een blij gezicht op en draai me om. In mijn handen heb ik een dienblad met koffie en taartjes.

‘Kijk es! Gebak!’ Suikergoed houdt kinderen zoet. ‘Ga lekker zitten.’

Mijn moeder kijkt om zich heen met een gezicht alsof ze liever dood neervalt dan hier ergens te gaan zitten. Uiteindelijk neemt ze behoedzaam plaats op het witte bankje. De zwetende neger kijkt lijdzaam op haar neer. Haar hoofd reikt tot aan zijn kruis. Zijn bokshandschoenen rusten op haar hoofd. Voorzichtig neemt ze het kopje koffie van me aan en zet het schoteltje met de moorkop op haar schoot.

Ik neem plaats aan tafel en neem een hap van mijn mokkataartje.

‘Waarom heb je voor mij geen mokkataartje?’

‘Ik dacht dat ik jou een plezier deed met een moorkop. Daar hou je toch zo van? Van moorkoppen?’

Met de moorkoppen en de neger die op haar neerkijkt, wordt het nog een verrassend humoristische middag.

‘Ik hou helemaal niet van moorkoppen. Een slagroomtompoes kan ik wel waarderen.’

‘Mam, wat is in godsnaam het verschil tussen een moorkop en een tompoes? Het is deeg met chocolade en slagroom.’

‘Moorkoppen zijn zo klef. Dat deeg is zo klef. Een tompoes heeft van dat lekkere knapperige bladerdeeg.’

‘Dan laat je hem staan. Dan eet ik hem wel op. Wil je mijn mokkataartje? Hier. Dan neem jij mijn mokkataartje.’

‘Nee, dat hoeft niet. Ik eet hem wel op. Zo erg is het nou ook weer niet.’

Mekkeren om het mekkeren, noemen we dat.

Ik heb er twee weken over gedaan om haar te vertellen dat ik weg ben bij Marc. Een korte mededeling op haar antwoordapparaat dat ik het reuzedruk had en nog wel zou bellen, had haar voorlopig koest moeten houden, dacht ik zo. Maar mijn moeder rook onraad en ging rondbellen. Uiteindelijk kreeg ze Marc aan de telefoon, die met veel gevoel voor drama vertelde hoe ik hem had verlaten. Overigens vroeg mijn moeder zich wel af wie die dame was die de telefoon opnam. Van Tinke begreep ik dat Eva een week later al bij hem was ingetrokken. Leg dat maar eens uit aan je moeder.

‘Ben je niet jaloers dan?’

‘Nee, mam ik ben niet jaloers. Waar zou ik jaloers op moeten zijn?’

‘Het is onnatuurlijk en onfatsoenlijk voor een vrouw om alleen te leven.’ Verder ging ze er niet op in. Haar interesse en begrip ten aanzien van mijn gevoelsleven is overweldigend. Aanmoediging, acceptatie, begrip, bevestiging, erkenning, geruststelling, goedkeuring, respect, vertrouwen, waardering, zorg. Ze komen niet voor in mijn moeders woordenboek. Mijn levensangst is me ingeprent: angst voor seksualiteit, voor mezelf, mijn lichaam en gedachten. Affectie is een mensenrecht van evenveel belang als voedsel of onderwijs, heb ik haar ooit met een wijs gezicht aan haar verstand proberen te brengen. Ik had het ergens gelezen en ik vond het een mooie zin. Ze had me verbaasd aangekeken. Ik had het bange vermoeden dat ze de betekenis van het woord affectie niet kende. Wat de boer niet kent, dat eet ie niet.

Ik kijk strak in mijn kopje koffie en concentreer me op het gelijkmatig verdelen van de melk en de suiker. We zwijgen.

Ze zit zo ver mogelijk bij Sammie vandaan. Sammie is een rood katertje. Een paar dagen geleden zat hij op de stoep, ’s avonds laat. Met een uitdrukking op zijn gezicht van ‘waar blijf je nou, ik wil naar mijn nest’. Ik krabde hem achter zijn oren. Hij begon te babbelen. Miauwen kan hij niet, hij babbelt. Ik deed de deur open en hij liep parmantig, zonder iets te vragen de trap op met een vanzelfsprekendheid om jaloers van te worden. Halverwege keek hij naar beneden, alsof hij wilde zeggen: Kom je ook? Alsof ik bij hém op bezoek ging. Ik heb wat briefjes opgehangen maar tot op heden heeft niemand gereageerd. Hij ligt uitgestrekt naast mijn moeder op de bank en houdt haar met één oog in de gaten. Ontspannen maar op zijn hoede. De nageltjes nog in het cellofaan.

‘Ik snap niet dat je dat vieze beest zomaar in huis haalt. Wie weet waar hij geweest is. Misschien heeft hij wel vlooien.’

‘Ik heb hem vlooiendruppels gegeven en katten houden zichzelf goed schoon, mam.’

‘Katten smeren zichzelf in met speeksel, zul je bedoelen. Smerige beesten.’

‘Voor de vrouw van een dierenarts leg je een wonderlijke aversie voor dieren aan de dag, mam.’

Ik probeer het vriendelijk te laten klinken. Met op de achtergrond: en van je hela, hola, houterdemoedmaarin, houterdemoedmaarin, houterdemoedmaarin!

Ik hoor haar slikken. Een onverdraaglijk geluid.

'Mam?' Ik adem rustig door en klink nog steeds heel vriendelijk. Mijn nagels nog in het cellofaan.

'Zijn er dieren die volgens jou níét smerig zijn?'

Mijn moeder kijkt voor zich uit en zegt prompt: 'Nu je het zegt, nee, die zijn er niet.' Ze kijkt er triomfantelijk bij.

Dat dacht ik al. In gedachten foeter ik haar uit. Vermoedelijk heeft het allemaal te maken met het feit dat je papa altijd hebt moeten delen met zijn praktijk vol smerige beesten, die allemaal om zijn aandacht miauwden, blaften en kraaiden. En je hebt het gehaat. Altijd. Je bent altijd jaloers geweest op die dieren. Niet omdat ze zo belangrijk voor papa waren, want dat waren ze helemaal niet. Maar íémand moest de schuld krijgen van het feit dat hij niet van je hield. Er gaat me opeens een licht op.

De zwierige straatkat Kareltje, met Pareltje aan zijn zij, genoot van het leven avontuurlijk en vrij. Het gedroomde leven van mijn vader. Het is altijd gissen geweest naar wie Pareltje is gemodelleerd, mijn moeder heb ik er nooit in kunnen ontdekken. Mira, de dierenartsassistente. Als kind keek ik ademloos door de spijlen van de trap als ze de trap af liep. Hoe ze haar voeten schuin op de treden neerzette, voorzichtig en elegant, op torenhoge naaldhakken. Beneden in de praktijk trok ze haar gympies aan. Ik zal een jaar of zeven geweest zijn. Ze droeg zwarte eyeliner, met zwart getoupeerd haar. Ik vond het iets ongelofelijks zoals ze zich als een grote zwarte panter ruisend door het huis bewoog. Zou Mira model hebben gestaan voor Pareltje? Het zou me niets verbazen. Ik weet van zijn overspel. Zou mijn moeder het weten? Zal ik iets zeggen? Gewoon om te treiteren. Iets in de trant van: Zeg, mam, die Mira, weet je nog? Die assistente van papa. Wat denk je? Was dat zijn maîtresse? De koffie in haar kopje terugspugen betekent waarschijnlijk een volmondig ja.

'Dus als ik het goed begrijp ben je zo'n kleine vijftig jaar met een dierenarts getrouwd geweest en heb je een hekel aan dieren.'

'Ja. Eigenlijk wel ja. Ik snap niets van jou en dat sentimentele gedoe.'

'En Bert?' Bert is de buurman die ze heeft ingepalmd nadat mijn vader bedlegerig werd.

'Bert is er ook niet dol op.'

A match made in heaven. Ik was een ongelukje en ze hoopte op een jongetje. Nu blijk ik ook nog het kind van de verkeerde man. Misschien dat ik me daarom al mijn hele leven een mislukt tegenvallertje voel.

Rustig ademhalen.

'Hoe gaat het nu met je? Ben je al iemand tegengekomen?' vraagt ze.

Ah, we zijn bij de hamvraag aanbeland. Ik vroeg me al af waar hij bleef. Ze vraagt altijd naar de pijnlijke plek. Ze zal nooit vragen: En? Heb je nog steeds zoveel geld? Of: En? Is je seksleven nog steeds zo geweldig? Dat is het niet, maar daar gaat het niet om. Ze vraagt namelijk altijd naar wat ik niet heb. En ik vraag me soms af of het wel de bedoeling is dat ik met een blij antwoord kom. In de vraag ligt altijd het speuren naar ellende besloten.

'Mama, ik ben net weg.'

'Nou ja, Marc heeft toch ook al iemand anders.'

Ze is op dreef vandaag. Peur maar lekker rond in die wond, wat kan jou het ook schelen.

'Nee, mam, geen ander. En ik ben ook niet op zoek, oké?' Het komt er onverwachts bits uit.

'O, nou, ik wist niet dat je kwaad werd.'

'Ik word niet kwaad, ik vind het alleen een onzinvraag. Waarom vraag je niet hoe het met me gaat?'

'Dat doe ik toch?'

'Nee, dat doe je niet. Je vraagt of ik alweer aan de man ben, dat is iets heel anders.'

'Dat is hetzelfde,' houdt ze vol.

'Nee, dat is het niet.' Ik voel dat mijn bloed begint te koken. 'Het impliceert dat het pas weer goed met me gaat als ik aan de man ben. Enig idee hoe vernederend dat is?'

'Nou zeg, stel je niet zo aan. Wat is daar nou vernederend aan? Ik maak me gewoon een beetje zorgen. Op jouw leeftijd valt het niet mee om een man te vinden.'

En daar vliegt de volgende pijl in de roos.

Al bloei je na je veertigste nog zo op. Sorry, uw kansen zijn verkeken. Jammerrr.

O, heeft niemand u verteld dat de kaarten al vroeg in het leven geschud worden? Jaaaaah mevrouwtje, dan hebt u pech gehad. De kans dat u nu nog een betrouwbare, leuke, viriele partner vindt, is heel klein. Het is te laat. *Rien ne va plus.* Zelfs mijn moeder, die het in haar leven niet verder heeft geschopt dan twee mannen, die ze naar alle waarschijnlijkheid geen van beiden echt liefhad, kan dat beamen.

Ik haal diep adem en prop het laatste stuk mokkataart in mijn mond om mezelf het zwijgen op te leggen.

'Ik ga even mijn handen wassen,' mompel ik met volle mond. Ik ga naar het toilet en terwijl ik zit te plassen, bel ik Janine.

'Help,' fluister ik.

'Wat?'

'Mijn moeder is hier en ik word gek. Verzin een list.'

Dan hoor ik een gil.

Ik trek mijn broek omhoog en ren de kamer in. Sammie staat midden in de kamer met een hoge rug naar mijn moeder te blazen.

'Ik wilde hem aaien. Dat beest is vals.'

'Dat beest is niet vals. Ik weet hoe jij katten aait. Dat is geen aaien, dat is uitkloppen.'

Er komt een sms'je binnen.

Darling,

I'm in the bridal suite of The Dylan.
Why are you late?
I am waiting and wanting you badly.

Simon B

Nu geef ik een gil.

'Wat geweldig! Mam! Ik wilde het nog even voor me houden, maar ik heb een aanbidder. Een minnaar, een amant. En hij is onverwachts in Amsterdam. Om me te verrassen.' Ik word zo meegenomen in mijn eigen verhaal dat ik sta te springen van enthousiasme.

'Ik heb hem al twee weken niet gezien,' ratel ik door. 'Hij woont in New York. Ik móét naar hem toe.'

Verbouwereerd staat mijn moeder me aan te kijken.
'O, nou, dan ga ik maar.'
'Ja. Vind je het heel erg? Nee, hè?' voeg ik er gemakshalve zelf aan toe. Je moet mensen niet al te veel zelf laten denken. Gééf ze die antwoorden, dat schiet lekker op.
'Hoe heb je hem dan leren kennen?'
'Mam, een andere keer. Het is nog pril, eerst maar es kijken of het wat wordt. Hardlopertjes zijn doodlopertjes, toch?'
Mijn moeder knikt. Haar gezicht staat strak. Ze geeft me een zoen op mijn wang.
'Kijk je wel uit? Zo'n vreemde snuiter die je hoofd op hol brengt. Het klinkt allemaal spannend, iemand uit New York, maar je hebt er niks aan. Beter een goede buur dan een verre vriend. Er zwemmen nog meer vissen in de zee.'
'Ja, en wie zijn billen brandt, moet op de blaren zitten, dag mam. Laat me nou maar. Het komt allemaal op zijn pootjes terecht.'

Nadat mijn moeder het huis heeft verlaten, bel ik Janine.
'Spreek ik met Simon Baker?'
Ze begint hard te lachen.
'Ja, daar spreekt u mee. Waar blijft u nou toch? Is ze weg?'
'Ja, nadat ze zowel mij als Sammie de stuipen op het lijf heeft gejaagd, is ze vertrokken.'
'Straks een borreltje op een terras? Klein hapje eten? Het is zulk prachtig weer.'
'Grandioos idee. Ik kan wel een wijntje gebruiken.'
'Oké. Het wordt een uur of zeven, denk ik. Ik bel nog.'
'Oké. Tot straks.'
Ik gooi mijn mobieltje terug in mijn handtas. De envelop die ik van Tinke heb gekregen, zit er nog steeds in. 'Je gaat heel gelukkig worden,' zei ze. Ik merk er nog weinig van. Ik bekijk het dvd'tje waar met grote letters *The Secret* op staat. 'Dit zal je helpen.' Ik schuif het in de sleuf van mijn laptop. Het zal mij benieuwen.

17

THE SECRET

Opzwepende muziek. Door elkaar gesneden beelden van ridders en piramiden. Het grote geheim van het leven, dat op het punt staat aan mij geopenbaard te worden, is eeuwenlang verzwegen voor het gewone volk. Hoe het nu zo opeens tevoorschijn is gekomen, vertelt de voice-over niet. En, als het zo wereldschokkend belangrijk is, waarom het niet op de voorpagina van alle kranten en als *breaking news* bij CNN te zien is, ook niet. De boodschap is globaal:

You can be and have whatever it is you want and you can do whatever you want.

Sluit dat even mooi aan bij mijn huidige levensfase. Het universum als postorderbedrijf, als ik deze heren moet geloven. Een kwantumfysicus, een filosoof, een visionair. Het omvat de stelling dat je rijk kunt worden door jezelf rijk te wensen en is gestoeld op de gedachte dat als je dénkt dat je het kunt, dan kun je het ook. Maar daar is toch niks geheims aan. Dat weet een kind! Geloven dat je iets kunt, waarvan je denkt dat je het niet kunt.

'Geloven dat je iets zult hebben waarvan je denkt dat het ver buiten je bereik ligt. Dat is de moeilijkheid!' roep ik tegen het beeldscherm van mijn laptop. Maar daar hebben de mensen van *The Secret* het volgende op gevonden. Dan doe je gewoon alsof je het kunt. Je doet alsof je datgene hebt wat je graag wilt.

Maar ben ik niet zojuist bij mijn man weggelopen omdat ik niet meer wilde doen alsof?

You can have that beautiful car. You can have that big mansion. Appelleer aan de hebberigheid van mensen en je scoort een hit. Is het niet beter om honger, armoede en oorlog de wereld uit te wensen? Of kan dat niet? Kun je alleen iets de wereld in wensen en niet uit? Dat zou een hoop narigheid verklaren. Ja, verdomd! De visionair met dreadlocks legt uit dat je alleen iets de wereld in kunt wensen. Dus je moet vrede op aarde wensen. Want als je oorlog en andere narigheid probeert weg te wensen, gaat er aandacht naar oorlog en andere narigheid en dat moeten we te allen tijde zien te voorkomen. Het is goed dat ze het er even bij vertellen. Het gaat hier over grote wereldproblemen. Zou Obama op de hoogte zijn van *The Secret*? En Poetin? Ik hoop dat deze wijsheid China al bereikt heeft, want daar gaat het gebeuren de komende jaren.

Denken aan wat je wilt. Niet aan wat je niet wilt. Tinke heeft het me vaak op het hart gedrukt. Je krijgt er in elk geval een gezelliger hoofd van. En dat is altijd meegenomen. En vooral positief blijven. Dus let op wat je denkt. Je gedachten, mits met de juiste intentie gedacht, wat nog een hele klus is volgens mij, kunnen zomaar gematerialiseerd worden. Je moet eigenlijk de hele dag denken dat je alles hebt wat je zou willen hebben.

'Maar dat doe ik al jaren! Ik heb jarenlang gedaan alsof ik vrolijk, blij en gelukkig was. Hemelbestormend klaarkwam. Het heeft me niets gebracht van wat ik werkelijk wilde,' roep ik weer verontwaardigd uit. Ik zit ruzie te maken met mijn laptop in een heel gehorig huis. Het gaat de goede kant op met me.

Maar, altijd bereid de hand in eigen boezem te steken, ik zal ongetwijfeld een essentieel onderdeel verkeerd hebben aangepakt. Per slot van rekening produceren onze hersens minstens duizend gedachten per minuut. Hou dan het overzicht maar es. Dat zal het zijn.

Om gelukkig te worden moet ik dus doen alsof. Ik moet in het nu zijn en positief denken over alles wat ik wil om het vervolgens los te laten. Weet je? Ik geloof dat ik dit heel erg moeilijk vind. Ik zeg het eerlijk. Ik geloof niet dat ik dit kan. Ik ben niet zo'n *multitasker.* Hier. Daar ga je al. Positief denken gaat me niet goed af. Ik heb nog een hoop te leren.

Waar het dus feitelijk op neerkomt is dat je elke seconde van je leven in het nu moet zijn, wat inhoudt dat je niet denkt. Want dat is de essentie van volledig in het nu zijn, dat je niet nadenkt. En wat is ons ons hele leven geleerd? Dat we moeten denken! Precies. Voor niets krijgen we zoveel waardering als voor ons denkvermogen. Maar het geheim van het leven is dus NIET DENKEN. Dat hadden ze er op de kleuterschool wel even bij mogen vertellen. Dat had een hoop ellende gescheeld.

Maar hoe kun je positief denken als je niet mag denken? Dat legt *The Secret* ook uit. Je moet eigenlijk positieve dingen voelen. Want woorden halen je uit het moment.

Het is helegaar niet eenvoudig dat geheim.

Maar het is het proberen waard. Baat het niet dan schaadt het niet. Ik begin met het opstellen van een wensenlijstje. Het geeft allicht de nieuwe koers van mijn leven aan. Zeg wat je wilt en wees duidelijk. Ook dat nog, details. Het universum gaat alleen aan de slag als het de wens in detail te horen krijgt. Waarschijnlijk is het daar net zo'n chaos als in mijn hoofd. En chaos is gebaat bij een tot in de fijnste details uitgevoerde organisatie, vandaar dat ik mijn kasten altijd zo netjes opruim. Het universum en ik hebben veel gemeen. Dat schept een band. Wij gaan het nog ver schoppen, het universum en ik.

Nou vooruit. Wensen. Ik heb weinig te verliezen.

'Stel,' zeg ik hardop, terwijl ik opgewonden op en neer veer op het witleren bankje, iets wat Sammie me niet in dank afneemt. Of het ook wat rustiger kan. Ik kroel hem even achter zijn oren. Dat is ook goed. Kroelen is altijd goed, daarvoor wil ik wel wakker gemaakt worden, babbelt hij. Ik concentreer me weer op mijn wensenlijstje. 'Stel,' en om het NU wat duidelijker te maken en te voorkomen dat ik verzuip in een zee van tijd waarin heel vreselijk veel moois kan, moet en zal gebeuren, om duidelijk te krijgen waar mijn prioriteit precies ligt, hou ik het dicht bij huis. Dicht bij het NU zeg maar. 'Stel! Ik heb nog een dag te leven. Wat wil ik dan?'

Een dutje doen en een hapje eten met Janine. Verder zal het allemaal wel. De zon schijnt wat wil je nog meer. Ik heb simpele wensen. Nee, dat werkt niet voor een langetermijnplanning in het NU. 'Stel! Ik heb nog een jaar te leven!'

Zei Tinke ook niet zoiets? Wat wil ik als dit het laatste jaar van mijn leven is? Ik maak een lijstje.

GELUKKIG ZIJN.

EEN LIEFDE.

Een passionele welteverstaan. Mits dat niet ten koste gaat van mijn *geluk*. Ik hoop dat het universum de boodschap begrijpt, want meer details willen me even niet te binnen schieten. Een mooie man met een goed hart. Wat? hoor ik het universum terug mopperen. Dat is wel wat veel gevraagd. Nou ja, je vraagt toch wat ik wil? Ik zeg niet dat ik erop reken. Of dat ik ernaar op zoek ga. Ik ga nergens naar op zoek. Ik ga lekker op de bank zitten. En dan zie ik wel wat er gebeurt.

EEN EIGEN HUIS, EEN PLEK ONDER DE ZON.

Spreekt voor zich lijkt me zo.

LEUK WERK.

Wat voor werk? Ik heb geen idee. Ik kom er later op terug als het goed is. En denk ondertussen even mee daarboven.

18

CARPE DIEM

Zo'n bezoekje van moeders gaat me niet in de koude kleren zitten. Ik ben bekaf en voel de hoofdpijn opkomen. In het nu leven en niet denken aan wat ik wil. Zoiets was het toch? Mijn wensenlijstje. Een eigen huis. Als we daar eens mee beginnen. De afgelopen weken ben ik alleen maar bezig geweest met het opruimen van het verleden. Het op orde brengen van mijn financiën, me uitschrijven bij Marc, de scheidingsprocedure in gang zetten via een advocaat. Veel gedoe, weinig plezier. Veel wennen aan het alleen zijn. Mijn hoofd in bedwang houden. Zodat het niet aan het panikeren slaat. Mijn spullen heb ik nog steeds niet opgehaald. Een eigen huis, als we daar eens mee beginnen. Dit gelogeer maakt me onrustig. Ik wil mijn eigen spullen om me heen hebben. De veiligheid van een eigen plek voelen. Een huis waarin ik kan zijn wie ik werkelijk ben. Het is misschien gek maar in een huis met naakte boksers om me heen, gaat me dat niet goed af. Ik heb een basis nodig, een nest. Ik heb nestdrang. Een huis dus. Eventjes op Funda kijken en zoeken.

Wat wil ik? Als ik nog een jaar te leven heb, welteverstaan. In Amsterdam blijven. Liefst dicht bij Janine. Mijn brokje veiligheid. Goed, Amsterdam. Hoeveel kan ik maximaal uitgeven? Gaat dat lukken hier in de buurt? Vast niet, maar dat zien we later wel. Wie nog maar een jaar te leven heeft, kijkt niet op een cent. Een balkon. Dat vind ik wel een vereiste. Zeker voor dat ene jaar. Een balkon met zon. Het huis hoeft niet per se groot te zijn, maar wel comfortabel. Badkamer, keuken, goed sluitende ramen en deuren. Simpele wensen. Sammie kijkt me aan en babbelt: 'Waarom ga je met deze hitte niet lekker in een kozijn liggen pitten? Dat is het allerbeste idee op een zonnige dag, zeker als het je laatste is. Carpe diem.'

'Een mensenleven is een stuk gecompliceerder dan een kattenleven en dat blijf ik een beetje jammer vinden,' babbel ik terug.

Maar hij heeft gelijk. Waarom zou ik achter de computer zitten terwijl het zo'n prachtige dag is. Pluk de dag en geniet ervan. Ik klap mijn laptop dicht. Ik heb zin om iets leuks te beleven. Zou *The Secret* daar ook in voorzien? Op een wens als, iets leuks beleven? Zonder dat je daar de details van op kunt hoesten. Zou het universum weten wat iets leuks inhoudt? Of moet ik een uitgebreide zoekopdracht invoeren?

Er komt een berichtje van Janine binnen.

Ik kan om halfzeven ergens zijn.
Le Tre Vaselle proberen?
Regel jij een tafeltje?

Ze gaan voortvarend van start daarboven. Ik neem een snelle douche, haal een borstel door mijn haren, doe wat make-up op en kleed me om. Iets leuks beleven vraagt om een leuke outfit. Mijn lichtblauwe Betsey Johnson met de oranje bloemen dan maar. Een dag als vandaag vraagt om bloemen.

'Je weet maar nooit wie je tegenkomt,' zeg ik tegen mijn spiegelbeeld, terwijl ik met een penseeltje nauwgezet mijn lippen insmeer met lipgloss. Ik trek rode, open schoentjes aan en draai een rondje voor de spiegel. Was het niet in een sprookje van Andersen dat het slecht afliep met een meisje in rode schoentjes? Wat kan mij het schelen. Ik tart het lot.

Op weg naar beneden kom ik mevrouw Groentebroer tegen.

'Dag, mevrouw Groentebroer.'

'O, hallo. Zeg maar Jo, hoor. Warrem, hè? Het zweet gutst van me lijf af. Dit is toch geen weer meer? Nee toch? En om er nou zo bloot bij te gaan lopen als jij, zo met je hele hebben en houwen te kijk voor de buurt, dat vind ik wel zo vréselijk ordinair. Op mijn leeftijd dan, hè. Nou schat, leg het niet af met die hitte.'

Een wijze raad rijker, daal ik de trap af. Als ik buitenkom slaat de warmte me in het gezicht. Vandaag is er officieel een hittegolf afgekondigd. Het kwik tikt tegen de dertig graden. Ik vind het heerlijk. Ik wandel aan de schaduwkant van de straat naar het restaurant hier vlakbij. Daar reserveer ik vast een tafeltje voor vanavond. Overal langs de gevel staan grote stokrozen in bloei.

Uit een open raam klinkt een cellosuite van Bach. De etalage van de plaatselijke lingeriewinkel wordt gerestyled in de kleuren roze, oranje en rood. Ik groet de etaleur, de groenteman en snuif aan de bloemen voor de deur van de bloemist. De terrassen zitten vol, overal is het geklingel van glazen te horen en het geroezemoes van blije mensen die genieten van het mooie weer en de stad. Misschien is er voor geluk niet meer nodig dan een snikhete zomerdag. Mijn hart loopt vol van geluk. Mag het leven altijd zo blijven? Rustig, ontspannen, zacht, warm.

Het restaurant ruikt lichtjes naar verschraald bier. Er is geen bedienend personeel te bekennen. Ik draal even bij de bar en loop dan naar de andere kant van de eetzaal, waar ik het doorgeefluik van de keuken zie en ik steek mijn hoofd erdoorheen. De keukenbrigade is druk bezig met het maken van de mise-en-place. Aan de andere kant van het luik staat een nors kijkende kok pasta te draaien. Een dun lapje deeg glijdt over zijn hand.

'Hallo.' Geen reactie.

'Is er iemand die me kan helpen, ik wil graag een reservering maken voor vanavond.'

'We zitten vol,' snauwt de norse kok zonder me aan te kijken.

'O, nou, dan ga ik maar weer.' Ik kan een lichte irritatie niet onderdrukken. 'Het kan ook vriendelijk hoor,' zeg ik opeens. Ik word nog assertief op mijn oude dag. Hij kijkt op met een 'wat, happen naar de baas?'-blik. Een beetje nijdig en verbaasd tegelijk.

'Wát zei je?'

Ik voel dat ik rood word en onderdruk de neiging om mijn hoofd terug te trekken en hard weg te rennen. Gelukkig staat hij niet met een vervaarlijk scherp geslepen koksmes een ossenhaas aan flinters te hakken. Misschien had ik dan mijn mond gehouden.

'Je kunt het ook best vriendelijk zeggen, dat jullie vol zitten. Het is niet mijn schuld dat het zo warm is.'

Er klinkt een stem achter me.

'Kan ik u helpen?'

Ik draai me om en kijk in de diepbruine ogen van een man die verdacht veel weg heeft van een volbloed Italiaanse filmster. Hij is gekleed in een Blue Blood-spijkerbroek en een nauwsluitend zwart T-shirt. *Quite dashing.*

'Ik vroeg me af of ik een reservering zou kunnen maken, maar ik geloof dat jullie vol zitten.' Ik geef een kort knikje in de richting van de norse kok ten teken dat de boodschap van hem afkomstig is.

Hij neemt me van top tot teen op met een geringschattende blik.

Ben ik hip genoeg? Waar moet ik aan voldoen om hier te mogen komen eten, vraag ik me koortsachtig af.

'Leuke jurk,' zegt hij dan zonder ook maar één enkele vriendelijke spier in zijn gezicht te vertrekken.

Ik glimlach een dank je.

'Kan ik een reservering maken of zitten jullie vol? Dan ga ik het verderop even proberen.'

'Hoe laat wil je komen en met hoeveel personen?'

'Om een uur of halfzeven, twee personen.'

'Heer of dame?'

'Een dame.' Heb ik al geantwoord voor ik kan protesteren wat dát er in godsnaam mee te maken heeft.

'Net zo mooi als jij?' Hij vraagt het alsof hij de juiste inschatting wil kunnen maken voor wat betreft de tafelindeling. Waar zal ik deze dames plaatsen? Zijn ze leuk genoeg voor een goed tafeltje? Of zal ik ze achter in een hok wegproppen, naast de deur van het toilet, bij de garderobe, met hun hoofd in een jas.

Denken aan wat ik wil.

'Ik wil graag een tafeltje buiten, op het terras. Lukt dat?'

'Ik zal even in het boek kijken.'

'Het is misschien een gekke vraag maar waarom zei die kok zojuist dat het vol zit en waarom ga jij nu in het boek kijken?'

'Hij heeft er geen zin in vandaag. En hij is de eigenaar. Dus hij kan het bepalen, maar ik heb er wel zin in. Dus ik zal es kijken. Een mooie vrouw mag je niet teleurstellen.'

Hij zegt het routineus. Zeker van zijn zaak en van het effect. Ik merk op geen enkele manier dat hij het ook werkelijk meent. Misschien is hij te cool om een welgemeend compliment te maken. Of het is een robot. Een Italiaanse robot die geprogrammeerd is om vrouwen het hof te maken, ze zijn alleen vergeten de motoriek en de gezichtsuitdrukkingen erbij te leveren. Reuzespannend. Ooit heb ik dit sexy gevonden, al die geheimzinnigheid en artificiële spanning die elke keer opnieuw opgewekt en bevochten moet worden, maar nu niet meer. Ik word al moe als ik ernaar kijk. Doe maar gewoon leuk en aardig. Een paar jaar geleden zou ik in katzwijm voor de bar hebben gelegen en nu overweeg ik naar een ander restaurant te gaan, waar het eten misschien minder, maar de bediening zoveel voorkomender is. Wijsheid komt met de jaren, zo zie je maar weer.

'Aardig van je.' Ik lach naar hem. Hij lacht niet terug. Daar is hij te cool voor.

Jongens! wil ik roepen, wat is er mis met áárdig zijn! Maar je houdt je in, je doet het niet, je laat je niet kennen, je doet net zo cool als de rest.

'Tafel voor twee, vanavond om halfzeven. Staat genoteerd.'

Ik slenter over de Cornelis Schuytstraat en koop rood ondergoed om mijn leven weer zin te geven. Ik ben in gedachten verzonken, wanneer ik mijn naam hoor roepen.

'Isabelletje! Dat is nou leuk dat ik jou hier tref.'

Het is Laurens, een kunsthandelaar die vroeger vaak in de galerie kwam waar ik werkte. Hij heeft me ooit mee uit eten genomen om me tijdens het hoofdgerecht plompverloren te vragen waarom ik me niet liet onderhouden. Hij nam een ferme trek van zijn sigaret en blies de rook zijwaarts naar buiten, terwijl hij me onderzoekend aankeek. De sigaret hield hij van zich af zodat de rook alsnog in mijn gezicht kringelde. 'Een lekker wijf als jij zou zich niet druk moeten maken om het betalen van de huur. Je moet een rijke vent zoeken die een pandje op de gracht voor je huurt. Dan heb je nergens geen omkijken meer naar.' Hij zei het alsof het de normaalste zaak van de wereld was. Toen boog hij zich over het tafeltje en fluisterde met felle, verwachtingsvolle oogjes: 'Wat ik eigenlijk bedoel is, dat ik een appartementje op de gracht heb waar je wel in kunt. En dan kom ik af en toe es langs.'

Ik verslikte me bijna in mijn piepkuiken met morilles.

'Maar Laurens, jij bent toch getrouwd?' sputterde ik tegen. Hij keek me aan alsof ik hém een oneerbaar voorstel deed, in plaats van andersom.

'Wat heeft dát er nou mee te maken?' antwoordde hij oprecht verbaasd.

Stom van me. Als iemand je vraagt zijn belastingaftrekbare hoer te worden, heeft het er natuurlijk niets mee te maken dat hij getrouwd is. Dom, dom. Ik treuzelde en frommelde onhandig met mijn servet, terwijl ik een elegante manier zocht om dit genereuze voorstel te pareren.

'Lieve Laurens,' zei ik. Ik hield mijn gezicht bevallig scheef en keek hem glimlachend aan. 'Het is een mooi en verleidelijk aanbod want je bent een ontzettend leuke man, maar ik ben een romantische vrouw, moet je weten. Als ik het leuk heb met iemand, dan word ik verliefd.' Hij was met stomheid geslagen.

'Dat is natuurlijk niet de bedoeling, dat moeten we niet hebben,' zei hij prompt. 'Dat maakt de zaak te ingewikkeld.'

Bingo, dat dacht ik al. Het gesprek stokte. Verwarring alom in het hoofd van Laurens.

'Zullen we de rekening vragen?' vroeg ik op mijn vriendelijkst.

'Ja, ik wil het niet te laat maken,' bromde Laurens en hij drukte zijn zoveelste sigaret uit. 'Ik heb een barstende koppijn.'

De laatste keer dat ik hem gezien heb, was op mijn afscheidsfeestje van de galerie, een paar maanden nadat ik met Marc was getrouwd.

'Laurens! Nou, zeg, wat leuk. Jou heb ik lang niet gezien.' Ik geef hem drie zoenen, waarbij ik mijn lippen wegdraai zodat ze zijn huid niet raken. Hij ruikt naar sigarettenrook.

'Isabelle, wat een feest om jou te zien en wat zie je er stralend uit.'

'Dank je.'

'Kind, de zon schijnt als je lacht. Ik zweer het je. Kom er even bij zitten.' Hij duwt me in een stoel.

'We zitten net aan een lekker koud flesje chardonnay. Jongens, dit is Isabelle, Isabelle, dit zijn de jongens.'

Ik zwaai wat in het rond. Het gezelschap bestaat uit vier mannen in pak. Jasjes hangen over de rugleuningen, de dassen losgetrokken.

'Obiebo,' hij knipt met zijn vingers naar de ober die langsloopt, 'nog een glas graag voor de dame. God, wat leuk, da's jaren geleden.' Hij kijkt me met een oprecht blij gezicht aan. Zijn neus, vol gesprongen adertjes, glimt van het zweet. Dat heb ik weer. Of ze zijn mooi en onuitstaanbaar. Of ik zit met een overenthousiaste, kwijlende labrador. Het wil nog niet erg vlotten met die zoekopdracht naar een nieuwe man. Misschien moet ik toch wat meer details de lucht in sturen.

'Hoe gaat het met je?'

'Goed.'

Ik voel dat er nu van me verwacht wordt om een korte verhandeling over de loop van mijn leven te geven, maar ik laat het achterwege. Ik neem mijn toevlucht tot de verlossende wedervraag.

'En met jou?'

'Met mij gaat het heel goed. Business is booming. Door die economische crisis vlucht iedereen de kunst in. Dat behoudt zijn waarde.'

De ober zet een glas neer en Laurens schenkt het vol.

'Proost, op het goede leven. Hee poppelepee, wat vind ik het leuk om jou te zien, zeg. Ben je nog altijd met... kom, hoe heet hij ook alweer?'

'Marc.' Ik neem een slok wijn.

'Marc, ja. Marc. Aardige kerel.'

'Met Alice ook alles goed?' vraag ik snel om geen uitleg te hoeven geven over mijn huwelijkse staat. Alice is zijn kettingrokershoestende vrouw. Ik heb weleens een glas champagne met haar gedronken op een vernissage.

'Ja, met moeder de vrouw gaat het prima. Woon je hier in de buurt?' Hij legt zijn hand lichtjes op mijn dij. We zijn een paar jaar verder, wellicht dat het nu wel lukt. Een steeds dikker wordende portemonnee, die gelijke tred houdt met de toenemende omvang van zijn bierbuik. Laurens zit er niet mee. Vrouwen putten zich uit in de sportschool en trilplaten zich een hersenbloeding om het lijf een beetje strak te houden, maar de hangbuikzwijnen van deze wereld kijken je aan, as *if they were the next best thing since the paperclip.*

Ik sla mijn benen over elkaar zodat hij zijn hand moet wegtrekken.

'Ja, sinds kort, ja.'

'Nou ja, wat toevallig. Ik ook. Wat oergezellig, zeg. Zullen we van de week een lunchje doen in de Joffers? Kunnen we een beetje bijbabbelen.'

Voor ik iets onnozels kan antwoorden, komt er een berichtje binnen. *Saved by the bell.*

'Sorry, maar ik moet even kijken, excuseer ik me. Ik heb zo een afspraak.' Een sms van Janine:

Hoe laat waar?

Snel sms ik terug:

Nu! Le Tre Vaselle.

Ondertussen hoor ik dat Laurens een mop vertelt. 'Sam komt Moos tegen in de Kalverstraat. Zegt Sam: "Ik ben getrouwd met een Scandinavische." Zegt Moos: "Zweedse?" Zegt Sam: "Ja, onder d'r oksels."' Het gezelschap lacht. Ja, ja, komische humor om te lachen. Ordinair en toch leuk. Ik drink mijn glas leeg.

'Laurens, het was leuk je te zien, maar ik moet echt weg nu. Er zit iemand op me te wachten. We bellen.'

Ik zeg het zo snel en enthousiast dat hij vergeet dat ik hem mijn telefoonnummer niet heb gegeven.

Ik wandel naar het Obrechtplein. Misschien moet ik me erbij neerleggen dat ik geen leuke man meer zal vinden en een andere invulling aan mijn leven moet geven. Ik ben toch niet alleen bij Marc weggegaan om een andere man tegen te komen? Ik ben weggegaan om gelukkig te worden. Nou dan. En misschien ziet dat geluk er wel heel anders uit dan ik denk. Misschien strookt mijn idee van geluk niet met de beelden van de *and-they-lived-happily-ever-after*-films. Wie zal het zeggen? Misschien is het wel de bedoeling dat je de voorwaarden voor geluk leert kennen in dit leven. En misschien zijn die voor iedereen anders. En godzijdank leven we in een wereld waarin we ons de luxe kunnen veroorloven om op zoek te gaan naar het geluk dat bij ons past. De mensen die zielsgelukkig zijn met hun relatie, kan ik op één hand tellen, dus misschien wedden we met z'n allen op het verkeerde paard. Wie zal het zeggen. De angst van de vrouw om 'alleen over te blijven' vindt misschien zijn wortels uit de tijd dat het met een vrouw alleen slecht afliep. Uit de tijd dat een vrouw alleen de kans liep om als heks op de brandstapel terecht te komen. Uit een tijd dat het voor vrouwen onmogelijk was om zelfstandig te zijn. En dat is nog niet zo gek lang geleden. Ik denk dat ik opgegroeid ben met mijn moeders idee over de wereld, maar de wereld van vandaag is heel anders. Sterk spul hoor, die *Secret* . Ik kijk nu al anders naar de wereld dan vanmiddag.

19

RUDOLPH VALENTINO LOOKS VERY MUCH ALIVE

'Twee prosecco, graag.'

'Voor mij ook.' Janine lacht uitbundig om haar eigen grapje en slaat met een vlakke hand op de bar.

De filmsterober kijkt haar met een stalen blik aan en draait zich om. Daar gaat het goede tafeltje dat ik vanmiddag met gevaar voor eigen leven heb bedongen.

'Hij heeft geen gevoel voor humor,' fluister ik.

'Jammer voor hem. Wat zie jij er goed uit. Wat heb je gedaan?'

'Rood ondergoed gekocht.' Dat ik ook een mysterieus dvd'tje heb zitten kijken, breng ik voor het gemak niet ter sprake.

'Moet je vaker doen, je straalt. Heb je eigenlijk nog wat van Marc gehoord?'

Ik schud ontkennend mijn hoofd. Elke dag neem ik me voor hem te bellen en elke dag stel ik het uit.

'Jullie kunnen aan tafel.' Rudolph Valentino wijst ons een tafeltje midden op het terras. Ik hou mijn handtas omhoog uit angst alle glazen van tafel te gooien of een pizza mee te slepen. Op weg naar ons tafeltje komt Janine een kennis tegen en ze blijft achter voor een babbeltje. Ik loop met Rudolph mee en ga zitten. Hij legt de menukaarten op tafel. Ik vouw mijn handen in elkaar en leg mijn kin erop. Ik snuif de avondlucht op.

'Dat is een diepe zucht.'

Ik kijk opzij.

Een man. Aan een tweepersoons tafeltje. Een aardige man, zo lijkt het. Kortgeknipt, donker haar. Aantrekkelijk. Hij lacht vriendelijk naar me. Ik knik en glimlach.

'Ik was even aan het genieten, daarom zuchtte ik.'

'Een gelukszucht. Alle reden om te genieten, groot gelijk.'
'Ja, zeg dat wel.'
'Kom je hier vaker?'
'Nee, ik ben hier voor het eerst.'
'Het eten is uitstekend, de bediening iets minder.'
'Ja, dat is me opgevallen.'
Hij steekt zijn hand uit.
'Mag ik me even voorstellen, mijn naam is Wouter. Ik zit hier bijna dagelijks, dus een nieuwe gast herken ik meteen. Ik woon vlakbij.'
'Goh, wat heerlijk. Ik logeer hier vlakbij. Ik ben op zoek naar een huis, maar ik ben bang dat het me in deze buurt niet gaat lukken.'
'Je zoekt een huis?' Hij kijkt blij verrast.
'Ja.'
'Dat treft. Ik ben makelaar. Ik heb een kantoor hier aan de overkant.'
Hij steekt zijn hand in het borstzakje van zijn overhemd. 'Hier is mijn kaartje. Bel morgen maar even, dan zal ik kijken wat ik voor je kan doen.'
'Wat ontzettend vriendelijk.'
We keuvelen over Amsterdam en het ongelofelijk mooie weer dat ons ten deel valt deze zomer. En net als ik wegdroom bij deze aardige, aantrekkelijke man, komt er een andere man aangelopen.
'Mag ik je even voorstellen, dit is Oscar, mijn vriend.'
'Hee, hai, hoi.'
Homo. Waarom zijn alle leuke mannen homo? Op mijn achttiende was ik verliefd op een jongen die me, terwijl we stonden te zoenen, vertelde dat hij homo was. Al zoenend murmelde ik 'geeft niks joh'. Ik bleek een experiment. Een probeersel om te kijken hoe hardnekkig die homoseksualiteit nou eigenlijk was. Ik was blijkbaar masculien genoeg om aantrekkelijk gevonden te worden door een homo. Ik heb geen flauw idee of ik dat als een compliment moest opvatten. Ik werd aantrekkelijk gevonden, dat vond ik al heel wat. Dat hij homo was, nam ik graag op de koop toe. Terwijl Oscar het zich gemakkelijk maakt tegenover de man die ik in gedachten al de mijne had gemaakt, zwaai ik mijn hand op naar Janine ten teken dat ik het nu wel welletjes vind. Gelukkig, ze snapt de hint. Ze neemt afscheid van de kennis en loopt

met grote stappen over het terras. Onderweg groet ze nog drie tafels en dan ploft ze neer tegenover me.

'Ongelofelijk,' zegt ze. 'Juist op het moment dat de paniek begint toe te slaan omdat mijn opdrachtportefeuille wel erg leeg begint te raken, kom ik een oud-collega tegen die nu hoofdredactrice is van een nieuw blad, *Easy living*. Al van gehoord?'

Het is de titel van een hardrocknummer, zoveel weet ik, maar het blad ken ik niet.

'Of ik naar Costa Rica wil om een reportage te maken over een ecohotel, dat net is geopend door een Nederlandse die publiciteit wil,' vertelt Janine verder. 'Het is goedkoper om een paar journalisten over te laten vliegen dan om te adverteren. Val ik even met mijn doddige neusje in de boter.'

'Klinkt fantastisch.'

Wouter en Oscar krijgen de rekening en staan op.

'Nog een heel goede avond verder, dames, en bel morgen even,' zegt Wouter, terwijl hij me zacht op mijn schouder klopt.

'Ja, doe ik.' Vriendelijk groeten we terug.

Janine buigt zich naar me toe.

'Had je sjans? Die ene was best een lekker ding.'

Ik haal mijn schouders op.

'We hebben een babbeltje gemaakt, niets bijzonders. Ze waren wel aardig.'

'Hebben jullie al een keus kunnen maken?' Rudolph staat met een kleine blocnote in zijn hand.

'Wat is de dagspecialiteit?' vraag ik.

'Als voorgerecht hebben we *carpaccio di rospo con cipolle al zafferano*, *pulpo alle erbe* of *insalata di animelle al balsamico*. Als hoofdgerecht hebben we *tonno fresca al salmoriglio*, *costoletto d'agnello con acciughe ed herbe* of *asparagi bianchi e verdi con carpaccio di bue* en als dessert hebben we *panna cotta con salsa caramellata* of *crespelle alla cioccolata* en ook heel lekker zijn de *fragole all'aceto balsamico*.'

'*Unas paquetas papoeras papieres*,' hoor ik Janine binnensmonds mompelen. 'Lijkt me heerlijk,' ze slaat de menukaart met een klap dicht en kijkt de ober brutaal aan.

'Doe mij ook maar,' val ik haar bij.

'Het is de bedoeling dat jullie iets kiezen.' Rudolph Valentino kijkt er verveeld bij. Domme provinciaaltjes, zie ik hem denken.

Had ik ze nou toch maar met hun hoofd in een jas in de garderobe gezet.

'*Mi avverte quando devo scendere per favore*?' vraagt Janine rap en accentloos. Rudolph kijkt haar perplex aan.

'Dat dacht ik al. Zeg pastapipo, niet iedereen spreekt vloeiend Italiaans, dus als je even in het Nederlands kunt uitleggen wat de dagspecialiteiten zijn, dan zou ik je zeer erkentelijk zijn, dankjewel.' Enigszins van zijn stuk gebracht, doet hij in het Nederlands zijn verhaal. Nadat we een keus hebben gemaakt en hij alles heeft opgeschreven, loopt hij terug het restaurant in om de order aan de keuken door te geven.

'Wat zei je nou?' vraag ik.

'Kunt u me alstublieft waarschuwen wanneer ik moet uitstappen, een zin die ik uit mijn hoofd heb geleerd tijdens een Interrail-vakantie.'

Op dat moment rijdt de blauwe Peugeot door de straat. Ik geef Janine een schop tegen haar been.

'Hé, daar rijdt die 504.'

'Die wat?'

'Die mooie blauwe auto die ik je heb aangewezen, die reed daar net de hoek om.'

'Ja? Dus?'

'Ik wil altijd weten wie de bestuurder is van zo'n mooie auto. Heb jij dat niet?'

'Nee, dat heb ik niet. Isabelle, ik vind dit heel moeilijk om tegen je te zeggen, maar volgens mij ben je verliefd op een auto. Dat is niet goed. Auto's vragen veel onderhoud, kosten sloten met geld en zijn belabberd in bed.'

'Dat zijn de meeste mannen ook.'

'Beter kiezen, schat. Of eerder dumpen. Een van de twee. Lossslaten. Het grote geheim van een gelukkig leven. Lossslaten.'

Mijn vriendinnen grossieren in de geheimen van het leven; in het nu leven en loslaten.

Ik heb nog veel te leren.

Een beetje aangeschoten slenteren we terug.

'Het was gezellig.' Janine steekt haar arm in de mijne en drukt zich even tegen me aan. Ik pak haar pols om op haar horloge te kijken.

‘Het is nog niet zo laat. Nog een afzakkertje bij mij thuis?’

‘Nee, ik moet morgen vroeg op. Ik heb een afspraak met die hoofdredactrice.’

‘Morgenavond misschien, oké?’

‘Oké.’ Voor de deur geeft ze me een zoen. ‘Slaap lekker, lieverd.’

‘Slaap lekker.’

Ik draai me om en loop naar mijn deur. Ik kijk even achterom.

‘Ik vind het toch zo leuk dat je hier woont,’ roept Janine vanaf de overkant. We zwaaien.

‘Vind ik ook,’ roep ik terug.

Het is een heldere avond, veel sterren. Morgen wordt het weer een mooie dag. Het gaat de goede kant op met *The Secret*. Ik ben gelukkig en morgen ga ik naar een huis kijken.

Terwijl ik de trap op loop, stuur ik Tinke een sms.

Love you.

En krijg meteen een berichtje terug.

Love you to.

Ik doe de gordijnen dicht, kleed me uit en kruip in bed. Het huis mag dan spartaans ingericht zijn, het bed is koninklijk verrukkelijk; groot met koele lakens van zacht kamgaren. Sammie ligt naast het bed. Hij is ongelofelijk aanhankelijk en volgt me door het hele huis. Hij mag op bed slapen, maar hij durft niet. Hij is er bang voor. Telkens als ik hem op bed zet, kijkt hij verschrikt om zich heen en schiet de kamer uit. Vermoedelijk was het bij zijn vorige eigenaar verboden terrein, en zo te zien is hem dat hardhandig ingeprent. Zachtjes aai ik zijn vacht. Knorrend duwt hij zijn kop tegen mijn hand. Het is lang geleden dat ik een huisdier heb gehad. Marc was allergisch voor katten en hield niet van honden. Voorzichtig til ik Sammie op en zet hem, terwijl ik zachtjes blijf praten, op bed. Zolang ik hem blijf aaien, voelt hij zich veilig, maar zodra ik het liefkozen staak, springt hij van het bed af en rent op een drafje de kamer uit om even later weer naast het bed te gaan liggen.

Ik strek me uit. Hoe nu verder met mijn leven? Door daar te beginnen waar het mis is gegaan, daar waar ik mijn droom in de steek heb gelaten. Dat een leugentje om bestwil je zomaar op een idee kan brengen. 'Ik ben fotografe,' zei ik tegen mevrouw Groentebroer. Het was eruit voor ik er erg in had. Was dat wel een leugen? Ik stap mijn bed uit en pak mijn laptop, klik iPhoto aan en browse erdoorheen. Ik heb geen kunstacademie gedaan, maar ik ben altijd blijven fotograferen. En niet onverdienstelijk. Zelfs Marc was erover te spreken. Tijdens een vakantie in Egypte heb ik een aantal verbluffend mooie foto's gemaakt van de Vallei der Koningen. Ze hangen ingelijst in de gang van ons huis samen met wat vrolijke kiekjes die het bezoek het idee moesten geven dat we reuzegelukkig waren. Ik kijk door een kier van de gordijnen naar de overkant. Het is donker bij Janine.

Ik stuur haar een mailtje.

J,
Die reportage van jou? Moet er een fotografe mee? En zo ja, dan hou ik me aanbevolen. Lul me erin. Verzin een list ☺
I.

Als bijlage stuur ik een aantal van mijn natuurfoto's mee.

Tijdens de opgestarte diavoorstelling flitst mijn achtergelaten leven met Marc voorbij. Het ene plaatje nog gelukkiger dan het andere. Ik voel ontroering maar geen heimwee.

Ik stuur hem een sms.

Alles goed hier. Hoe gaat het met jou? XX

Ik krijg geen antwoord.

20

IN A LAND CALLED FANTASY

'Benjamin.'

Hij geeft me een hand en kijkt me met twinkelende ogen van achter zijn brillenglazen met hip montuur, aan. Het is heel even stil in mijn hoofd. Als ik zijn hand druk, denk ik maar één ding: ik wil met hem naar bed. Het is lang geleden dat ik me na één handdruk woest aangetrokken voelde tot een man zonder dat ik verder in hem geïnteresseerd ben. Ongebreidelde lust. Een bijzonderheid. Maar het kan ook komen door het feit dat mijn zin in seks met de dag toeneemt. En een hittegolf maakt het alleen maar erger.

Vanmorgen heb ik het makelaarskantoor van Wouter gebeld. Nadat ik een aantal van mijn wensen kenbaar had gemaakt, kon ik meteen een afspraak maken met een van zijn collega's voor een bezichtiging in Oud-West. Er was die ochtend net een nieuw huis binnengekomen. Een tweekamerappartement van zestig vierkante meter met uitzicht over het Jacob van Lennepkanaal, een woonkamer en een ruime slaapkamer met een balkon op het zuidwesten.

'Zal ik even voorgaan?'

Hij steekt de sleutel in het slot en maakt de deur open. Mooie handen. Geen trouwring, stel ik snel vast terwijl ik me herstel van mijn aanvankelijke gelekkerbek en een ernstig gezicht op zet. Een blij gezicht is niet verstandig bij het kopen van een huis. Hij is een goede verkoper, uiterst vriendelijk en charmant, meer niet. Hij weet hoe hij een vrouw blij moet maken zodat ze overal schaapachtig 'ja' op antwoordt. Hij gaat me voor de trap op. Het ruikt er muf. 'Het appartement is recentelijk gerenoveerd,' legt Benjamin me uit. Dat heb ik me aan de telefoon al laten vertellen, maar ik laat het me graag nog een keer vertellen.

‘Van de kamer en suite is één grote ruimte gemaakt met een open keuken, de slaapkamer is apart. De schuifdeuren in de woonkamer zijn dus verwijderd.’

‘Jammer. Ik hou van schuifdeuren.’

‘Ja, dat zeggen meer mensen maar u zult zien dat de ruimte nu veel economischer benut wordt, en dat is ook wat waard.’

Met een zelfverzekerde glimlach zwaait hij de deur open. Ik stap de kamer binnen, het geluid klinkt plastic. ‘Er ligt laminaat op de vloer,’ verduidelijkt Benjamin ten overvloede. ‘En hier,’ zegt hij terwijl hij even mijn arm aanraakt, ‘is de keuken.’ Ik laat me niet gemakkelijk aanraken, maar Benjamin mag zijn gang gaan. Doe dat nog maar een keer, denk ik. En jawel hoor, dat doet hij. Ik wil hem, hier en nu. Ik kan er niets aan doen. Het is dat het appartement recentelijk gerenoveerd is en leegstaat anders zou ik hem regelrecht het bed van de huidige bewoners in trekken. Ik weet niet wat me bezielt. Je leeft maar één keer. Het is nu of nooit. Je hebt alleen vandaag. Alleen nú.

‘En de slaapkamer?’ vraag ik zo argeloos mogelijk. Ik probeer er schalks bij te kijken, maar ik ben niet goed in flirten. Ik kan niets beters bedenken. Wat kan me gebeuren? Neem een risico. Doe es gek. Maar wat moet ik zeggen? O, dit is een prettige slaapkamer, zullen we dan maar? Of: zou je een keertje iets met me willen drinken. Nodge nodge, wink wink. Ik weet het niet, ik heb geen flauw benul hoe je zoiets aanpakt. Om te beginnen ben ik heel ouderwets, ik vind dat de man het initiatief moet nemen. Waar is de kracht van het nú wanneer je hem nodig hebt?

‘Gaat u hier alleen wonen? Want voor twee personen is het aan de kleine kant.’

Beste klant, het appartement is aan de kleine kant. Ik hoor de boodschap: het huis moet groter, ik moet meer geld uitgeven. Hij inspecteert mijn budget.

Zo scherp als mijn hoofd analyseert, zo stuntelig is mijn antwoord: ‘Nee, ik bedoel ja, alleen, ik ga hier alleen wonen. Ik ben net gescheiden.’ En wanhopig op zoek naar een man, of liever gezegd, wanhopig op zoek naar een minnaar. Ik zou de opmerking achteloos kunnen laten vallen en er een verleidelijke glimlach op laten volgen met een ‘interesse?’ Je ziet het in films, maar of er écht vrouwen zijn die dat kunnen en durven?

‘O. Gescheiden. Dat spijt me. Vervelend.’

‘Nee hoor, het werd hoog tijd.’ Ik portretteer mezelf als ongecompliceerd en dus gemakkelijk het bed in te krijgen. Het kan me niets schelen. Ik wil aandacht en ik wil seks. Ik wil iemand aanraken en ik wil aangeraakt worden. Ik wil met een vreemde man neuken. Prille begeerte voelen. Spanning waar weinig voor nodig is. Al is het wel zo dat ik meestal dichtklap, ik ben niet zo van de onenightstands. Een onedaystand heb ik nog nooit gehad, wellicht gaat dat me stukken beter af. Je weet het niet. Het is allicht ongecompliceerder. We zijn op neutraal terrein en ik hoef niet de volgende, vreselijke ochtend met hem te ontbijten.

‘U bent een mooie vrouw. Dat komt wel goed.’

Weer die zelfverzekerde glimlach. Ik laat mijn blik over zijn lichaam glijden. Het is wederzijds, dat voel ik. Wat doen we hier nog? wil ik uitroepen. Laten we het doen voor het te laat is! Voordat de bom valt! Voordat ik verlep en doodga! Voordat jij verlept en doodgaat. Want niet alleen vrouwen treft dat lot, al is het iets wat vooral in relatie tot vrouwen wordt gezegd. Over het verleppen van mannen wordt veel minder gesproken. Je hoort veel meer over lubberend vrouwenvlees dan over haperende prostaten.

Maar goed, we dwalen af. Ik sta me nog steeds te verlekkeren op een manier die ik niet ken van mezelf. Ik wandel nog wat rond door het appartement. Mijn hoge hakken klikken op het laminaat. Ik ben me bewust van zijn ogen die over mijn lichaam glijden.

‘Is het hier gehorig?’ Ik doe mijn uiterste best om een normale vraag te stellen. Heel anders dan de vraag die ik werkelijk wil stellen. ‘Het is eigenlijk wel gek dat je een huis niet kunt uitproberen, vind je niet? Bij IKEA kun je een bed aanschaffen en er een maand in gaan liggen, als het niet bevalt kun je het retourneren. Maar een huis van twee ton moet je zomaar kopen. Je moet er eigenlijk een nachtje kunnen slapen of er een avondje kunnen zitten om naar de geluiden te luisteren; of het ’s avonds geen pokkenherrie is van televisies die op topsterkte worden aangezet door dove buurvrouwen.’ Ik zeg het met een brede grijns op mijn gezicht ten teken dat het me geen ernst is. Het laatste wat ik wil, is zuur en kritisch overkomen. Hier staat een vrolijke vrouw die van het leven geniet en die dat graag wil blijven doen in haar nieuwe huis. Het is een vaststelling, een observatie, meer niet.

'Tja, daar zegt u iets. Ik kan wel informeren naar de vloer van de bovenburen. We hebben geen klachten doorgekregen van de vorige bewoners.'

Nee, dank je de koekoek, die willen hun huis verkopen en zullen er niet bij vertellen dat de buren een pitbull hebben die bij elke klokslag van het volle uur een kwartier lang de boel bij elkaar blaft.

'Als je dat zou willen doen, graag,' zeg ik met mijn allerliefste glimlach. Dan kunnen we nog eens bellen, denk ik erbij.

'Ik kan misschien ook wel regelen dat u een avondje mag komen luisteren, als dat u over de streep trekt.'

Ik verslik me bijna.

'Luisteren? Hier? Serieus?'

'Waarom niet? Ik vind het wel een goed idee. Dan neem ik een flesje wijn mee en twee tuinstoeltjes. Dan maken we er een gezellige avond van.'

'Als de buren dan maar geen last van ons hebben,' grap ik. Zenuwachtig begin ik om mijn eigen dubbelzinnigheid te lachen.

'Zit die kans er in dan?' vraagt Benjamin opeens met een heel ander stemgeluid dan de professionele toon van daarvoor en hij doet een klein stapje mijn kant op. Mijn keel is droog en mijn hart begint te bonken. Ik moet iets verleidelijks doen. Nu. Nu. Nu. Over vijf minuten kan ik onder een tram liggen. Wat wil je? Nu. O hemel, wat is dit verwarrend. Ik wil allemaal dingen die niet kunnen.

'Ik wil allemaal dingen die nu niet kunnen,' stamel ik.

'Zoals?'

'Jou zoenen.'

'Waarom zou dat niet kunnen?'

'Nou...'

En voor ik 'ga gerust je goddelijke gang' kan zeggen, drukt hij zijn mond op de mijne en glijdt zijn hand onder mijn jurk. Zonder het te beseffen, heb ik het licht op stralend lentegroen gezet. Het is allemaal veel makkelijker dan ik dacht. O mijn hemel, denk ik alleen maar. Het moet er maar van komen dan. Hopla. Wie a zegt moet ook b zeggen. Benjamin... Zijn naam bevat het woord 'ja' en het woord 'minnen'.

Het mooie van de zomer is dat er weinig kleren in de weg zitten. Het onhandige gesjor aan spijkerbroeken en wollen maillots in de winter is een stuk minder sexy.

Met mijn jurk tot boven mijn billen opgestroopt, sta ik midden in de kamer te wankelen op mijn hoge hakken. Hij duwt me tegen de muur en kijkt me aan. Zijn mond staat een beetje open en hij heeft zijn ogen half dichtgeknepen. 'Jezus wat ben jij lekker,' zegt hij zachtjes. Ik mompel iets onverstaanbaars. Iets zinnigs zeggen gaat me op dit soort momenten heel slecht af. Iets onzinnigs zeggen trouwens ook. Ik vind het al lastig genoeg om dit te laten gebeuren zonder mezelf op slag frigide te censureren. Dit kan niet, dit mag niet. Niemand ziet het, niemand weet het. Ik hoef me niet eens schuldig te voelen. Ik hoef me alleen maar een hoer te voelen. Een slet. Een sloerie. Hij trekt mijn slipje opzij en zijn zachte, soepele vingers masseren vakkundig mijn clitoris. Ik sta tegen de muur en voel het nog natte stucwerk tegen mijn rug. Hij pakt mijn hand en legt hem op zijn kruis. Ik masseer zijn harde lul. Hij kreunt en duwt zijn tong weer in mijn mond. Hij trekt mijn slipje naar beneden. Ik sta te trillen op mijn benen. Ik doe het. Wat kan mij het schelen wat ik ervan denk. Mijn leven lang ben ik al een net meisje, vandaag ben ik een seksmeisje. Ik laat me op mijn knieën zakken en zuig zachtjes op zijn eikel. Hij trekt me omhoog, rukt mijn jurk over mijn hoofd en draait me om. Ik sta naakt met mijn borsten tegen de vers gestuukte muur. Mijn wang leunt tegen het koele beton. Ik ruik de geur van verf. Hij maakt zijn broek los, duwt met zijn voeten mijn benen verder uit elkaar en duwt zijn lul diep in me.

'Lekker?' vraagt hij met schorre stem.

'Ja.'

'Harder?'

'Ja.'

Hij draait me een kwartslag. Ik sta voor het aanrecht. Ik grijp mezelf vast aan de rand en buig verder voorover. Ik kijk opzij en zie mezelf in de weerspiegeling van de balkondeur. In de tuin staat een grote boom; niemand die ons ziet. Deze man let overal op. Hij legt twee handen op mijn heupen en begint me te neuken alsof zijn leven ervan afhangt. Zweetdruppeltjes vallen op het aanrecht.

'... uw telefoonnummer, mevrouw Harteveld?' Ik ontwaak. Ik was even afgeleid.

'Mijn telefoonnummer, ja, ik zal u een visitekaartje sturen. Ik geloof niet dat ik uw nummer heb. Nee. Heb ik mijn nummer aan het kantoor gegeven misschien? Dat zou kunnen. Nou, wacht even, als u me uw nummer geeft bel ik even en hebt u meteen mijn nummer. Misschien is dat het handigst.'

Ik ratel. Ik voel hoe het zweet op mijn voorhoofd staat. 'Ik wil er even een nachtje over slapen. Ik bel nog om te laten weten wat ik zal doen. Misschien moet ik nog een keertje komen kijken.'

'Een bezichtiging is altijd mogelijk.' Hij geeft me een map met informatie over het huis en zijn kaartje.

'U kunt me altijd bellen.'

We geven elkaar een hand.

Als hij de straat uit loopt, draait hij zich vlak voor hij de hoek om gaat even om en zwaait. Het is een professionele zwaai. Ik slaak een diepe zucht. Terwijl ik naar huis wandel, stuur ik Janine een berichtje.

Zag er goed uit...
Vertel later.

Drie straten verder krijg ik antwoord.

Heb je net een mailtje gestuurd. Lezen. Nu.

Thuis start ik mijn computer op.

Ze vonden je foto's prachtig. You're in! Vertrek over een week.

Costa Rica yayayayayayayai!

21

MY BEAUTIFUL LAUNDERETTE

De ware: een partner tot wie je je in alle opzichten aangetrokken voelt en met wie je het een leven lang kunt uithouden. Liefde en lust op het eerste gezicht. Hij heeft een stralende lach.

Is hij rondreizend circusartiest? Is hij de losbandige held van het verhaal?

Hij is mijn Jeoffrey en ik ben zijn Angélique. Hij is mijn Romeo en ik zijn Julia, hij is Prins Valiant en ik ben prinses Aleta. De stripboeken van Prins Valiant werden verkocht bij de Vivo toen ik een meisje was. Ik was verliefd op Prins Valiant, de prins met het gitzwarte haar en het zingende zwaard. Zijn haar in een pittige 'bob' geknipt. Hij was verliefd op Aleta, koningin van de Neveleilanden. Hij had haar ooit onder een waterval heur lange, blonde haren zien wassen en was meteen verkocht. Sindsdien is het een droom van mij om mijn haren te wassen onder een waterval. In realiteit is het onhandig en zelfs vrij pijnlijk maar het gaat om het idee.

Ik wandel in het zonnetje met een grote zak wasgoed naar de wasserette op de hoek. Ik hou de zak in mijn armen zoals je een klein kind vasthoudt, omdat ik bang ben dat het plastic anders zal scheuren. Ik heb alles in een vuilniszak gepropt. Een goed boek of een uurtje meditatief naar een draaiende kolk schuim kijken, doet wonderen voor je hoofd. Ik voel me gelukkig. Niet op een heel uitbundige of euforische manier wanneer droom en werkelijkheid samenvallen, maar op een vredige, kalme manier. Op een manier die maakt dat je denkt, wat heb ik toch een fijn leven. Ik kan gelukkig worden van wasgoed, schoon wapperend wasgoed. Ik mag graag een wasje draaien en het daarna aan de lijn hangen. Ik hou van de geur van wasgoed dat door de wind is gedroogd. Ik hou van het geluid van wapperende lakens. Helaas moet ik dat genoegen ontberen in Diederiks huis. Maar het idee van een wasje draaien in de wasserette, maakt me ook blij. Een uurtje nietsdoen terwijl je toch nuttig bezig bent, daar hou ik van. Op een nuttige manier nietsdoen, heeft wel iets van geluk in zich. En daar loop ik me op te verheugen.

Het is maandagmorgen. Wasdag. Dat is toeval. Ik hou me niet aan gehakt- en wasdagen. Maar toevallig is het vandaag wasdag. Ik herinner me dat er vroeger thuis steevast op maandag werd gewassen. Mijn moeder hield zich wel aan de regels van de dagen. Op vrijdag vis met een mosterdsausje, op woensdag gehakt, op zondag rundvlees met spruitjes en op maandag werd er gewassen. Misschien had ze nog wel meer rituelen naar de dag gerangschikt, maar die zijn me ontgaan. Misschien maakte ze wel elke dinsdag de keukenkastjes schoon. Wie zal het zeggen?

En nu loop ik met een grote vuilniszak in de richting van de wasserette op de hoek aan het einde van de straat. Zoals ik van wapperend wasgoed hou, zo hou ik ook van wasserettes.
Wasserettes hebben dezelfde niemandslandkwaliteit als hotels. Het leven staat er even stil. Je hebt er tijd voor een mooi inzicht, een dromerij. En de start van een nieuwe carrière in Costa Rica is allicht een dromerij waard. Het is geen plek om je nagels te gaan zitten doen, dat dan weer niet, maar verder biedt het veel mogelijkheden tot contemplatie. En bij gebrek aan duinen in de buurt is dit een goede plek voor een goed gesprek met mezelf. Op straat heb ik de neiging om zachtjes, maar toch een beetje hardop, in mezelf te praten. Dat krijg je als je alleen woont, dan ga je in jezelf praten. Je moet ze toch kwijt, al die gedachtespinsels. Bij een onverwachte tegenligger leg ik gewoon mijn hand op mijn oor en dan lijkt het net of ik druk in gesprek ben verwikkeld via Bluetooth. Alles beter dan dat zo'n voorbijganger denkt dat ik starnakelgek ben.

Nog voor ik de wasserette binnenstap, zie ik hem zitten. Halflang, witblond haar. Verdiept in zichzelf of in een dik boek, dat kan ik zo snel niet zien. Ik heb een voorgevoel dat ik niet kan toeschrijven aan het feit dat ik hem een lekker ding vind. Het is iets anders wat me raakt. Er gaat een kalmte van hem uit die ik zelfs op afstand al weldadig vind. Wat een mooie man, is alles wat ik denk. Ik heb het gesignaleerd nog voor ik hem echt gezien heb. Mijn antennes zijn me voorgegaan en geven de informatie aan me door.

Het belletje van de deur rinkelt als ik binnenkom en hij kijkt even op. Verbeeld ik het me of staren we elkaar een paar seconden aan? Ik voel mijn verlegenheid opkomen. Mijn eerste impuls is wegkijken, aan de andere kant van de zaak gaan zitten, negeren. Om vervolgens te hopen dat hij als door een wonder, iets tegen me zal zeggen, wat door mijn masker van ongenaakbaarheid zeer onwaarschijnlijk is. Mijn verlegenheid doet alles wat ik niet wil. Het is er eerder dan ik. Eerder dan ik kan beslissen om het anders te doen. Maar vandaag ben ik in het nu. Gelukkig, onbevangen en onbevreesd ga ik voorbij aan mijn eerste impuls.

Ik zet de vuilniszak op de grond en zoek met mijn ogen naar een vrije machine. Er is er maar één in gebruik, door hem. De meest linkse. Na enige aarzeling kies ik voor de machine er pal naast.

Hij zit achter in de hoek tegenover zijn persoonlijke wasprogramma en is verdiept in een dik boek. Bill Bryson, *Een kleine geschiedenis van bijna alles*, lees ik even later wanneer ik met een gewiekste hoofdbeweging via het wasmiddelbakje naar het omslag kijk. Je wilt tenslotte weten welk boek iemand leest als je interesse in hem hebt. Zeg me welk boek u leest en ik zeg u wie u bent. Zulke informatie kan tot grotere interesse leiden of reden zijn om zuchtend op een stoel in de andere hoek van de ruimte te ploffen en met je neus in de rondslingerende roddelbladen te duiken.

Maar dit is interessant. *Een kleine geschiedenis van bijna alles.* Ik ken het niet. Maar ik wil de kleine geschiedenis van bijna alles best weten. Per slot van rekening ben ik een nieuwsgierig mens.

Ik prop het wasgoed in de machine. Mijn slipjes verstop ik in een shirt. Die hoeft hij niet te zien, niet zolang ze vuil zijn tenminste. Met een klap gooi ik de deur dicht en kom dan tot de ontdekking dat ik mijn portemonnee vergeten ben.

'O nee, hè,' mompel ik. Ik kijk om me heen of ik hem misschien zonder erbij na te denken op een stoel heb gelegd. Maar verstrooid als ik ben op deze zonnige maandagmorgen, een paar uur voor ik naar Costa Rica vertrek, ben ik hem vergeten mee te nemen.

'Stom.' Zeg ik hardop. De blonde man kijkt op.

Wat een mooie man, denk ik weer. Tot meer hersenactiviteit ben ik niet in staat. Het is een rock-'n-rolltype met bakkebaarden en een strakke spijkerbroek. Een type voor cowboylaarzen en een leren jack. Maar hij draagt Bikkembergs en een wit overhemd. Niets zo sexy als een man met lichtbruine, blote voeten in mooie zomerschoenen.

Hij heeft iets van Bruce Springsteen, maar dan blonder, zachter en jonger. Hij straalt zelfvertrouwen uit. Iets sterks. Zonder dat het hard is. Prettig. Ik voel me niet snel op mijn gemak bij een man, noch voel ik me snel aangetrokken tot iemand. Een geur kan me tegenstaan, de agressieve chemie van te veel aftershave, of een te nadrukkelijke ademhaling, een te harde stem.

'Is er een probleem?' vraagt hij met een prettige, zachte stem.

'Heel stom. Ik ben mijn geld vergeten. Zou je de machine even in de gaten willen houden terwijl ik naar huis ren?' Ik veeg een pluk haar uit mijn gezicht terwijl ik verontschuldigend naar hem glimlach.

Hij glimlacht terug.

Langzaam staat hij op en haalt wat geld uit zijn zak. Hij is lang, heeft blond borsthaar en een goddelijk lichaam. In een fractie van een seconde heb ik het allemaal geregistreerd.

'Heb je hier iets aan?' vraagt hij.

Nu geen nee zeggen en het aanbod bescheiden afslaan. Ja zeggen, dat is veel beter. In het nú leven betekent ook ja zeggen. Zeg maar ja tegen het leven anders zegt er het leven nog nee, speelt de jukebox in mijn hoofd.

'Nou, wat aardig, dankjewel. Ik ren zo even naar huis, ik woon hier vlakbij, dan krijg je het terug.'

'Dat hoeft niet. Het is wel goed zo.'

Ik neem het geld aan en gooi het in de machine. Ik stel het programma in en draai me weer om.

'Echt ontzettend aardig. Nogmaals bedankt.' Ik steek mijn hand uit.

Hij neemt mijn hand in de zijne en zegt zacht zijn naam.

'Mads.'

'Wat een gekke naam,' flap ik eruit. Meteen sla ik mijn andere hand voor mijn mond. We houden nog steeds elkaars hand vast, ze liggen tegen elkaar aan in de lucht.

'Sorry, dat klinkt onaardig. Ik bedoel, het klinkt een beetje...'

'... een beetje vrijeschoolachtig, een beetje gek maar op een leuke manier, bedoel ik dus eigenlijk.' Ik probeer er een sympathieke draai aan te geven, maar zoals altijd met blunders kun je maar beter je mond houden na de eerste sorry, anders wordt het alleen maar erger.

'Het is een Scandinavische naam.' Langzaam laat hij mijn hand los. Onze vingers dwarrelen nog een tijdje langs elkaar.

'Het betekent geschenk van God.' Hij kijkt er een beetje verontschuldigend bij.

'O. Goh.'

'Mijn moeder is Noors.' Hij glimlacht weer.

'Ja, ja.'

'Ze heeft mijn vader leren kennen toen hij op vakantie was in Noorwegen. Hij was gefascineerd door *Nooit meer slapen* van W.F. Hermans en hij is het boek achterna gereisd, dat zich in Finnmark afspeelt, de meest noordelijke provincie van Noorwegen. Mijn vader was alpinist.'

Een alpinist in de Noorse bergen, dat klinkt paradoxaal. Maar ik kan zo snel geen gebergte in Noorwegen bedenken om een grapje te maken.

'Mijn ouders leerden elkaar kennen op de laatste avond van zijn vakantie. Eén kus. Meer niet. Een paar dagen later is mijn vader teruggevlogen naar Oslo en hij is nooit meer weggegaan.'

Hij vertelt het zonder dat ik ergens naar vraag. Een Noor, een halve Noor. Dat verklaart het blonde haar en de korenblauwe ogen. Ik heb nog nooit een Noor ontmoet, maar hij is alles wat ik me erbij voorstel. Rustig, groot, stoer, blond.

'Goh. Wat romantisch.'

Hij knikt.

'Beklim jij ook bergen?' vraag ik, bij gebrek aan een betere vraag.

'Niet zo fanatiek als mijn vader, maar hij heeft me wel vaak meegenomen.'

Door de twee draaiende machines en slechte airconditioning stijgt de temperatuur in de wasserette tot duizelingwekkende hoogte. Het zweet druipt tappelings langs mijn gezicht.

'Wil je wat water?' biedt hij aan.

'Graag. Ik had zelf wat mee willen nemen, maar ook dat ben ik vergeten. Als ik niet oppas, vergeet ik mijn hoofd nog eens.'

Ik veeg wat zweet van mijn bovenlip en blaas mezelf koelte toe.

'Het zal de hitte zijn.' En hij glimlacht weer terwijl hij me een flesje Evian aanreikt.

'Hier. Als je het niet erg vindt om uit mijn flesje te drinken. Ik heb niks anders.'

'Dank je. Als jij het niet erg vindt dat ik uit je flesje drink.'

'Dat vind ik helemaal niet erg.' Hij glimlacht weer.

Ik neem een slok en verslik me. Ik sla mijn hand voor mijn mond om te voorkomen dat het water er weer met kracht uitspuit. Het gevolg is dat ik nog heviger moet hoesten.

Hij staat op en klopt me zacht op mijn rug.

'Gaat het?' vraagt hij.

Met een rood hoofd knik ik verwoed. Bespeur ik een tatoeage verborgen tussen het blonde borsthaar? Nadat ik tot bedaren ben gekomen, neem ik nog een slokje water.

'Sorry,' mompel ik. 'Ik verslikte me.'

'Dat is me opgevallen,' zegt hij lachend, terwijl zijn hand heel even mijn bovenarm streelt.

'Dank je voor het water.' Ik geef het flesje terug.

Hij kijkt onderzoekend naar het venster van de machine waar ik mijn wasgoed in heb gestopt.

'Heb je er wel waspoeder bij gedaan?'

Achter het ronde luikje danst het water vrolijk in het rond. Geen schuim.

'O, nee,' mompel ik. Het is Murphy's Law-dag.

Hij zal wel denken, wat is dit voor konijn?

'Ik ben met een zak wasgoed de deur uitgelopen en al het andere ben ik glad vergeten. O, wat stom. Ik moet nog wennen aan de wasserette. Ik woon tijdelijk in een huis zonder wasmachine.'

'Grappig. Ik ook. Je mag wel wat van mij gebruiken.'

'Hé, je gebruikt hetzelfde merk als ik,' zeg ik.

'Dat komt goed uit.'

'Dat komt zeker goed uit.'

'Weet ik jouw naam intussen?'

'Isabelle.'

‘Isa-belle. Mooie Isa.’

Ik voel dat ik een kleur krijg.

Hij vertelt dat hij tweetalig is opgegroeid in Noorwegen. Zijn ouders zijn bij een auto-ongeluk in Italië omgekomen. Hij was vijftien. Het heeft hem vroeg volwassen en zelfstandig gemaakt. Hij is opgevangen door familie in Nederland, waar hij zijn studie biologie heeft afgemaakt, daarna is hij gaan reizen.

‘We vinden allemaal een creatieve oplossing als we in de knel zitten. Sommigen gaan een pakje sigaretten kopen om nooit meer terug te komen, anderen gaan aan de drank. Ik reis de wereld over. Iedereen verzint zijn eigen manier om met het leven om te gaan.’

Hij heeft een stralende lach.

‘Wat is de mooiste plek waar je bent geweest?’ vraag ik.

‘Vanuatu.’

‘O.’ Ik pijnig mijn hersens om te bedenken waar het zou kunnen liggen om niet als een geografische analfabeet over te komen.

‘In de buurt van Hawaï?’ gok ik.

‘Een kleine 5600 kilometer verderop. Maar je zat in de buurt. Het ligt wel in de Pacific.’ Ik zet mijn ‘ja, ja, wist ik ook wel’-gezicht op.

‘Ik ben ernaartoe gegaan omdat het in 2006 is uitgeroepen tot het land met de gelukkigste inwoners, uit een lijst van 178 landen. Het heeft de hoogste Happy Planet Index, dat leek me een goede reden om ernaartoe te gaan.’

Een man op zoek naar geluk. Dat is mooi. Dat is romantisch. Dat is Prins Valiant-achtig.

‘De mensen zijn er lief en warm. En het is er heel erg mooi. Op veel andere plekken waar ik ben geweest, zijn de mensen getraumatiseerd, dan wel door kolonisatie dan wel door oorlog, en dat merk je aan een land. Dit land voelde ongeschonden en onbevangen.’

Zoals jij, denk ik erachteraan. Knap en een goed hart, een zeldzame combinatie.

Ik vertel over de fotoreportage die ik op het punt sta te maken in Costa Rica. Hij vertelt dat hij op bezoek is bij zijn familie en over twee dagen opnieuw op reis gaat, bestemming onbekend. Hij heeft een wereldticket richting het westen.

'*I follow the sun*,' grijnst hij.

Als mijn machine stilvalt, kijken we elkaar aan. Hij heeft nog een was te draaien. Een zak wit beddengoed. Ik had alleen een bont wasje, wat kleren die mee moeten op vakantie.

'Nou, ik moet gaan,' zeg ik. 'Ik moet mijn koffer gaan pakken.'

Ik lach. Hij lacht terug. Ik prop het warme wasgoed in de vuilniszak en voel het zweet langs mijn rug druipen.

'Heb je een pen bij je,' vraag ik. 'Dan geef ik je mijn telefoonnummer, voor het geval je nog eens in Amsterdam bent. Dan moet je maar bellen als je een wasje gaat draaien.' Ik lach erbij. Het is bedoeld als grapje. Ik snap heus wel dat hij geen pen bij zich heeft, maar ik wil iets aardigs zeggen. Iets waarmee ik duidelijk maak hoe leuk ik het vond om met hem te praten. Hij loopt door de wasserette en vindt een afgekauwde pen in de vensterbank. Hij geeft me het opengeslagen boek.

'Schrijf hier maar op.'

In de kantlijn van een hoofdstuk over 'Het machtige atoom' schrijf ik mijn 06-nummer.

Misschien komt het door de ontspannen sfeer en de vanzelfsprekendheid die in de lucht hangt, dat ik verder nergens naar vraag.

Ik zeg hem gedag alsof ik hem morgen weer zal zien.

Als ik de deur uit loop, vergis ik me. Ik denk dat de deur openstaat en omdat ik me omdraai en mijn hand opsteek om hem nog een keer gedag te zeggen, loop ik snoeihard tegen de ruit aan. Zacht kermend met mijn handen voor mijn gezicht zak ik in elkaar. Mijn gekerm gaat al snel over in een onstuitbare lachbui. Mads helpt me overeind.

'Gaat het?' lacht hij met me mee.

'Nee, maar het is wel erg grappig. Bloed ik?' Voorzichtig haal ik mijn handen weg en ik kijk hem aan.

'Nee. Alles zit nog op zijn plek. Een klein bultje, hier.' Hij raakt even mijn voorhoofd aan.

'Gelukkig maar,' zeg ik. Hij lacht en veegt een lok haar uit mijn gezicht. 'Nou, dan ga ik maar.'

'Ja.'

'Ik vond het ontzettend leuk om je te leren kennen en ik wou dat ik niet weg hoefde,' zeg ik.

Ik leg mijn hand even op zijn wang. Hij glimlacht nog steeds en houdt mijn schouders vast alsof hij bang is dat ik zal omvallen. Normaal gesproken zou ik nu giechelen als een bakvis en me uitputten in grapjes en verontschuldigingen, maar er gebeurt iets anders. Er gebeurt helemaal niets. Het is vanzelfsprekend zo dicht bij hem te staan. Niet bedreigend. Ik wil niet weg.

'Lief,' zegt hij zacht, en hij trekt me voorzichtig tegen zich aan. Het is alsof het zich in slow motion afspeelt. Heel langzaam zie ik zijn gezicht op me afkomen.

O god, dat wordt zoenen, denk ik nog net voordat zijn lippen de mijne raken. Een gedachte die me in de meeste gevallen in lichte paniek doet ontsteken. Nu niet. Nu sluit ik langzaam mijn ogen, mijn lippen gaan van elkaar en ik laat het gebeuren. Ik ben niet verlegen, niet nerveus. Alsof dit het moment is waar mijn hele leven me naartoe heeft gebracht. Het hoogtepunt van de film waar iedereen op wacht. En dan is het zover; de spanning valt weg, want het moment is daar. En het is goed.

THE END

Was dat maar waar. Dan waren we overal van af. Op het moment dat ons favoriete moment is aangebroken, zetten we de film op pauze en daarna spelen we de film eindeloos terug tot dit moment, om nooit verder te hoeven, om altijd hier te blijven. Hier en nu. Maar er zit geen knop om terug te spoelen en ook geen pauzeknop op het leven. Het leven gaat door. Zoals het moet gaan.

22

MARTINAIR

Ik zit in het vliegtuig met drie plastic glazen wijn achter mijn kiezen. Plastic glas. Dat klopt niet, dat is een contradictio in terminis. Maar goed. In de taxfreeshops op Schiphol hebben we staan snuffelen aan vergeten vriendjes. Paco Rabanne deed me denken aan Theo, Aramis aan Frans. Eau Sauvage aan mijn vader, ook een vriendje. Jules van Dior bestaat niet meer. Toch jammer dat sommige vriendjes uit de handel worden genomen. Ik had hem graag nog eens besnuffeld. Niets haalt een herinnering zo gemakkelijk op als een geur. Het gekke is dat je je een geur niet voor de geest kunt halen. Zoals een beeld. Ik heb geen geheugen voor geuren. Ik herinner me een geur met de bijbehorende associaties wanneer ik hem ruik, maar ik kan hem niet oproepen zoals ik dat wel kan met een beeld of een liedje, en er in gedachten van genieten. Geur is vluchtig en misschien daarom zo kostbaar, en zo uniek. Mijn favoriete vergeten vriendje rook van zichzelf naar vanille in de holte van zijn nek onder de krulletjes van zijn haar. Daar lag ik stilletjes aan te snuffelen als hij naast me op zijn zij lag te slapen. Marc gebruikte iets van Armani toen ik hem ontmoette.

Mads droeg alleen zijn eigen geur, dat is altijd de beste. 'Ga nu maar,' had hij gezegd na onze zoen, en zonder verder na te denken ben ik de deur uit gelopen. Je zult het altijd zien. Op het moment dat ik een nieuw leven begin, wil ik het meteen tot een halt roepen, omdat ik zo'n vreselijk leuke man tegenkom. Dat heb je als je te veel orders het universum instuurt. En er niet op rekent dat ze per omkerende post ten uitvoer worden gebracht.

Voor je het weet buitelen de gebeurtenissen over elkaar heen en wordt het een rotzooitje. Dan sta je te zoenen met een man die op het punt staat naar zijn eigen toekomst te vertrekken, terwijl je zelf net aan een nieuwe begint. En krijg je de draadjes van het leven niet meer aan elkaar geknoopt.

En nu op rij 32 in een Martinair-vliegtuig zit ik naast een dame uit Singapore. We raken aan de praat nadat ik haar om een papieren zakdoekje heb gevraagd om mijn tranen van ontroering te deppen. Toen ik aan Mads dacht, sprongen de tranen in mijn ogen. Het zal door de wijn komen. Daar word ik sentimenteel en emotioneel van. Hij is constant in mijn gedachten en tegelijkertijd vervloek ik mezelf erom. Waar slaat het op? Het was een incident, een vrolijk voorval op de maandagmiddag. Ik moet er vooral geen conclusies aan verbinden en gewoon doorgaan met mijn leven. Alsof er niets is gebeurd. Het was een afscheidskus na een bijzondere ontmoeting, meer niet. Maar het idee dat ik hem misschien nooit meer zal zien omdat hij over twee dagen de zon achternagaat om ergens op de wereld schildpadeieren te gaan tellen, vind ik bijna onverdraaglijk. Ik snap er niets van. Zoals ik al zei: het zal door de wijn komen.

Inmiddels ben ik aan mijn vierde glas begonnen, voor het geval ik de slaap niet kan vatten.

We hebben stand-by stoelen. Janine zit op 42F en ik op 32A, op de tweede rij van het vliegtuig in de tweede klas, achter de kleine kinderen. Wiegjes worden aan de wand gemonteerd en zuigelingen worden te ruste gelegd of op sterke armen tot rust gemaand. De vrouw naast me uit Singapore trekt haar bontstola wat dichter om zich heen. Het is prachtig, glanzend echt bont.

'Wat is dat voor bont?' vraag ik met een onschuldig gezicht en een tikje aangeschoten. Het mag niet verwijtend klinken. Ik vraag het uit nieuwsgierigheid met een gezicht waarop te lezen staat: waar koop je zo'n bontstola? Práááchtig! Doe mij er twee!

Het is geen vos, dat zie ik met mijn bloeddoorlopen ogen ook nog wel.

'Het is nerts,' antwoordt de, overigens bijzonder vriendelijke, dame uit Singapore.

'*Vèèèry beautiful*,' roep ik bewonderend. Ik hoop dat ik via een omweg van bewondering terloops kan laten vallen dat bont toch eigenlijk het mooist is wanneer het dier er zelf in rondloopt. Een achteloze vermaning, omdat ik het niet kan laten. Maar compassie is ook belangrijk in het leven. En niets is zo bevorderlijk voor mijn mededogen dan een paar glazen cabernet sauvignon. Voor ik het weet zit ik gezellig met haar te babbelen over het leven in Singapore en nog wat later geeft ze me haar e-mailadres en drukt ze me op het hart contact met haar op te nemen, mocht ik ooit het voornemen hebben om Singapore te bezoeken. Ze laat me met liefde de stad zien.

Ik slaak een diepe zucht en probeer wat zuurstof binnen te krijgen. Ik heb ooit gelezen dat de lucht in een vliegtuig ongelofelijk slecht is. De toevoer van zuurstof wordt laag gezet, zodat iedereen lekker snel in slaap dondert. Gratis wijntje eroverheen en je hebt nergens meer omkijken naar. Het is goedkoper en het scheelt liters gratis drank. Ik tuur naar buiten. Het is aardedonker met wat oplichtende spikkels. Geen idee waar we zijn. Waar gingen we ook alweer naartoe? San José. Ik moet stoppen met drinken. Dat wordt straks een vertoning als ik zo door blijf gaan. Dan waggel ik als een dronkemansvrouw door het gangpad. Geen gezicht. Nee, dat kan niet. Ik gooi een melatoninepilletje in mijn mond en kruip onder mijn dekentje, of liever gezegd onder mijn twee dekentjes, want ik heb er een gepikt van de buren. Hij lag onder de stoel, zo voor het grijpen. En wat doe je dan als volleerd koukleum? Precies. Die pik je in. Alcohol maakt behalve brutaal ook asociaal. Maar ik heb het wel lekker warm.

De man op de rij voor me is stevig in de weer met een baby, die heeft geen dekentje nodig. Die blijft wel warm. Die loopt alleen maar heen en weer door het gangpad met de baby te schudden om hem stil te krijgen. Ik duw mijn oordoppen verder in mijn oren. Misschien nog een pilletje? Langzaam dommel ik in slaap.

23

COSTA RICA!

Waar ben ik aan begonnen, denk ik als ik me schrap zet tegen het dak van de jeep om er niet met mijn hoofd tegen aan te klappen als gevolg van de enorme kuilen in de weg. De auto wordt alle kanten op geslingerd en wij erbij. Ik kijk opzij naar Janine. Onverstoorbaar als altijd. 'We zijn er zo,' zegt ze geruststellend als ze mijn vermoeide gezicht ziet. Ik ben bang dat ik misselijk word. Ik steek mijn hoofd buiten het raam en haal diep adem. We hebben sinds de muffige maaltijd in het vliegtuig niets meer gegeten.

De reis naar het Chapada Nature Retreat zou ongeveer drie uur duren, maar door de hevige regenval van vannacht is de weg zo slecht dat we nu al vijf uur heen en weer worden geslingerd op de harde achterbank van de jeep. En de enige mensen die we onderweg zijn tegengekomen waren een paar kooplui die lange spiesen met wat stukjes gegrild vlees van onduidelijke herkomst verkochten, waar ik, ondanks de kans op de meest vreselijke besmettingen, mijn tanden in heb gezet. Het was taaier dan mijn schoenzool en dus met geen mogelijkheid weg te krijgen. Onder in mijn tas vond ik nog een geplet Babybel-kaasje en een energiereep. Ik ben duizelig van de hitte en misselijk van de honger.

'Ik moet echt iets eten,' piep ik tegen Janine. Ze tikt de chauffeur op zijn schouder.

'*How long before we get there?*' De chauffeur wijst naar een berg, niet ver bij ons vandaan.

'*Up that hill, about one more hour.*' Janine draait zich naar me om en kijkt me aan in mijn ongetwijfeld krijtwitte gezicht. Het kotsen staat me nader dan het lachen.

'Of moeten we even stoppen?'

'Heel even maar.' Nadat ik uit de auto ben gekropen, hang ik een tijdje ondersteboven langs de kant van de weg. Bloed naar mijn hoofd en diep inademen. Langzaam voel ik de misselijkheid wegtrekken. Janine houdt het de hele dag zonder eten vol als het moet. Ik ben niet zo'n bikkel. Ik neem nog een paar slokken water en kijk achterom naar Janine, die rommelt in de auto.

'Kijk nou toch.' Ze begint hard te lachen en houdt een rol Oreo-koekjes voor mijn neus. 'Verrassing! Dit lag gewoon in het dashboardkastje, ik heb het maar even geconfisqueerd.' Zelf propt ze er een paar in haar mond en de rest geeft ze aan mij. 'Ik begin ook wel trek te krijgen,' mompelt ze met volle mond. Ik val bijna flauw van de honger en Janine begint wel trek te krijgen. Dat we het zo goed met elkaar kunnen vinden is een klein wonder. We vervolgen onze weg en onze chauffeur drukt het gaspedaal stevig in. Als we aan de klim omhoog beginnen laat het natuurpark zich in zijn volle omvang aanschouwen. Het uitzicht is van een duizelingwekkende schoonheid.

Als we bezweet en vermoeid de jeep uitstappen, komt bedrijfsleider Miguel ons luid kwetterend tegemoet in een allerhartelijkste begroeting.

'*You must be very tired.*' Hij heeft mensenkennis, dat is een opluchting. Hij laat iemand onze tassen aannemen en duwt ons de veranda op.

'*You must sit here and watch the sun set in a few minutes. Vèèèry beautiful.*'

We krijgen allebei een groot, koud glas bier in onze handen gedrukt en er wordt een schaal met hapjes op tafel gezet. Janine laat zich in een van de fauteuils ploffen. Ik tuur door mijn camera.

'Kijk nou toch wat mooi.' De zon, die het landschap oranjerood kleurt en met grote snelheid achter de horizon verdwijnt. Mijn camera klikt onafgebroken. Konden we de geur en het geluid van de stilte ook maar vastleggen. Miguel kwettert de stilte weg door ons te vragen hoe laat we willen eten. Dan zullen we ook Sandra, de Nederlandse eigenaresse, ontmoeten.

Een van de mensen van het team brengt ons naar ons junglehuisje. Het resort bestaat uit negen bungalows, die met elkaar verbonden worden door een lange trap de heuvel op. Boven aan de trap bevindt zich een yogaruimte met spectaculair uitzicht over het regenwoud en de oceaan. Morgenochtend zijn we welkom bij de yogales. Er worden lessen in mediteren gegeven en we kunnen ons laten masseren. Er is ook een guesthouse met een aantal kamers. Alles wordt met liefde uitgelegd. Elektriciteit wordt opgewekt via zonnepanelen, het water wordt bij de huisjes via het dak opgevangen en kan dan weer worden opgepompt voor gebruik. De wc is een gat in de grond waar een closetpot overheen is gezet. Daarnaast staat een teil met water en een schepje. Zuinig zijn met water staat hoog in het vaandel.

Ons hutje staat midden in de jungle en heeft door een groen bladerdak uitzicht over zee. De inrichting is kleurig en charmant. Het getjilp van de krekels is zo hard dat het lijkt of ze met pannendeksels tegen elkaar zitten te slaan. In de verte het geluid van voortrollende golven en een enkele brulaap. *I've died and gone to heaven*, denk ik wanneer ik in een van de hangmatten op de grote veranda ga liggen. Ik denk aan gisteren, aan Mads. Hij kende Costa Rica en roemde zijn schoonheid.

Ik rits mijn tas open en hang wat kleren op in de open kast. We hebben ieder een eigen hutje. Het resort moet nog officieel geopend worden. Er is een kleine badkamer met een douche. De klamboe is stevig om het matras gespannen. Onwillekeurig inspecteer ik de ruimte op insecten. Boven in de hoek schuin boven het bed zie ik een witte plek. Ze mogen de boel hier weleens schoonmaken. De stofnesten hangen aan het plafond.

Nadat ik me heb opgefrist en schone kleren heb aangetrokken, daal ik een stukje de trap af en klop bij Janine op de deur.

'Ben je klaar?'

Ze doet de deur open, haar haren zijn nat.

'Heel even nog, ik ben zo klaar.' Ik ga op het bankje voor het hutje zitten. Het is intussen donker geworden. Langs de trap zijn olielampjes aangestoken. Het aanzwellende geluid van de jungle is indrukwekkend.

'Geweldig, hè,' zegt Janine zachtjes als ze haar deur op slot doet. Zwijgend lopen we naar het guesthouse waar het diner wordt geserveerd.

Sandra is een kleine, stevige vrouw van midden veertig en buitengewoon hartelijk.

'Jullie zullen wel uitgehongerd zijn van die lange reis,' zegt ze. 'Normaal gesproken is de weg goed begaanbaar en regent het in deze periode niet zoveel. Helaas hebben jullie net pech.'

'Het is hier zo prachtig en heerlijk, we zijn alles al vergeten,' zegt Janine.

'Het complex wordt voor een deel gerund door vrijwilligers uit westerse landen die hier een vakantie aan besteden of een sabbatical hebben genomen,' vertelt Sandra. 'Op deze manier houden we de kosten laag. Via de inkomsten kunnen we het rif hier voor de kust beschermen. We informeren de lokale bevolking en geven ze les. De locals die hier werken zijn ongeschoold en krijgen van ons Engelse les of een cursus bedrijfsvoering. Dat werkt heel goed. Momenteel werkt hier een Italiaan, een fantastische chef, die in de keuken de scepter zwaait. Hij geeft een nieuwe dimensie aan het begrip fusion.'

We worden naar de eetzaal gebracht waar een buffet klaarstaat. Bruine bonen, gefrituurde bananenschijfjes en moqueca, een Braziliaans visgerecht met kokosmelk, koriander, limoen en knoflook. Ongelofelijk heerlijk. De Italiaanse touch van de chef kan ik niet ontdekken, tot het toetje wordt opgediend: een buitengewoon smeuïge tiramisu.

Na het eten is er een borrel op de veranda en maken we kennis met de medewerkers. We geven iedereen een hand, terwijl Sandra ons voorstelt. 'Luigi, onze kok.' Ah natuurlijk, de Italiaan, kan niet missen. Klein, donker en met veel bravoure maakt hij me met één handdruk meteen het hof. Heel anders dan de plaatselijke Italiaan in Amsterdam. Charlotte, een Canadese, die op deze manier de hele wereld over reist. Ze kiest om de drie maanden een andere bestemming. Een beeldschone Braziliaan met warme, chocoladebruine ogen: Luiz, de yogaleraar. Het nemen van een yogales lijkt me opeens een heel goed idee. Ik ga verder met handen schudden, krijg een caipirinha, en ga zitten. Janine is al druk in een gesprek verwikkeld. Ik maak foto's, het voelt alsof ik nooit iets anders gedaan heb. Sandra komt naast me zitten. Ze neemt een teugje van haar caipirinha.

'Heerlijk, hè? Ik geniet er nog elke dag van.'

Samen kijken we in het donker naar de zee die in de verte glinstert. Vuurvliegjes dansen door de bomen.

'Het is geweldig wat je hier voor elkaar hebt gekregen.'

Ze haalt haar schouders op. 'Het is maar net wat je gewend bent. Ik heb de hogere hotelschool gedaan, dus zo ver van mijn bed is dit niet.'

'Het is nogal wat om hier alleen naartoe te gaan en een project als dit uit de grond te stampen.'

'Ik was net een paar maanden gescheiden toen mijn moeder overleed. Met die erfenis ben ik vertrokken om een nieuw leven te beginnen. Ik probeer naar de mogelijkheden in het leven te kijken, niet naar de problemen. Mijn zoon was net klaar met de middelbare school en wilde graag mee. Dus dat kwam goed uit. De cirkel is mooi rond nu.'

Ik vind het een fantastisch verhaal. Oké, ze had een zak geld, dat helpt, maar ik vind het toch knap. Ik ben opgegroeid met een grote honger naar avontuur maar zonder de daarbij benodigde moed. Is deze Sandra echt gelukkig? Misschien moet ik het haar gewoon op de man af vragen. Iets in de trant van: zeg, ik val maar meteen met de deur in huis, maar hoe staat het met je liefdesleven hier *in the middle of fucking nowhere*?

'Ik ben het gewend om alles alleen te doen,' vertelt Sandra. 'Het leven is een eenmansguerrilla, heeft Jan Cremer ooit gezegd. En ik ben het met hem eens. Mijn hele leven heb ik getracht iemand te vinden met wie ik zoiets kon doen, maar die ander wilde altijd iets anders. Het is me niet gelukt om een partner te vinden die samen met mij in dezelfde richting wilde varen. En de richting die zij op gingen maakte mij ongelukkig. Dus heb ik mijn eigen boot gebouwd. En ziehier.' Met haar arm maakt ze een zwaaiende beweging in de lucht. 'Ik ben een levensreiziger. Ik wil het leven opeten, zo veel mogelijk meemaken. Mijn man kon daar niet in meegaan. Uiteindelijk werd ik daar doodongelukkig van. Maar,' zegt ze en haar gezicht begint te stralen, 'je kunt het geluk alleen waarderen wanneer je het ongeluk kent. Geen dag zonder nacht, geen bergen zonder dalen. Dat heb ik van Luiz geleerd.' Ze glimlacht vertederd. 'Een heel bijzondere man. Jij maakt toch de foto's, hè?'

Ik knik.

'Mooi. Want dit hoeft niet in het interview.' Ze begint aanstekelijk te lachen.

Janine komt bij ons zitten.

'Jullie zien er moe uit,' zegt Sandra. 'Morgen is er weer een dag.

Weten jullie trouwens al wat jullie willen doen? Er zijn tal van activiteiten. Yoga, mediteren, snorkelen, kajakken. En als jullie willen kunnen we met een jeep of te paard de omgeving bekijken.'

Te paard? Mijn hart maakt een sprongetje. Mijn ouders hebben ooit schoorvoetend toegestaan dat ik op paardrijles mocht. Alleen omdat ik het zo vreselijk graag wilde en zo dolverliefd was op alles met een vacht en vier poten, stemden ze toe. Maar toen ik na de eerste paardrijles op de fiets naar huis reed, vergat ik van puur enthousiasme over deze ervaring uit te kijken en werd ik geschept door een auto. Een paar uur later werd ik wakker in het ziekenhuis met een arm in het gips en mijn hoofd in het verband.

'Zie je nou wel dat het niks is,' zei mijn vader. Ik heb eigenlijk nooit begrepen wat hij bedoelde. Dat het niks is om onder een auto te komen of dat het niks is om een poging tot een leuk leven te ondernemen. Daarna nam ik mijn toevlucht tot een omgevallen boom die ik Tornado had gedoopt, en die dienst deed als paard. Fantaseren kon ik als de beste. Fantaseren over een groots en meeslepend leven, of wat ik dacht dat daarvoor door moest gaan. We spreken af dat we morgen beginnen met een yogales en daarna gaan we aan het werk, al kan ik te paard de omgeving bekijken met een camera in mijn hand geen werk noemen, maar het is maar wat je gewend bent.

Samen lopen we over de verlichte trap naar boven.

'Ik ben kapot,' zeg ik.

'Ik ook,' zucht Janine. 'Maar wat is het hier heerlijk. Zullen we hier blijven? Als vrijwillige afwassers.'

Voor mijn part. Ik wil hier nooit meer weg. En ik ben er nog maar een paar uur. Nu weet ik opeens wat mijn definitie van geluk is: ergens zijn waar ik niet meer weg wil.

De volgende morgen ben ik als eerste op. Via de trap daal ik af naar een prachtig, stil strand om een ochtendduik te nemen. Het is klein in een halvemaanvorm en wordt omzoomd door een dikke, ondoordringbare strook groen. Dit is het moment van de dag waar ik het meest van hou. Overal stilte en rust, zachte ochtendzon. Reusachtige vlinders met felblauwe vleugels klapwieken voorbij. Geluiden van vogels die zingen en het geluid van het breken van de golven. Ze komen op me af als blije honden. Een pelikaan duikt vlak naast me in het water en dobbert zachtjes met me mee op de golven. Ik zwem voorzichtig naar hem toe en het lukt me om heel dichtbij te komen. Dan wordt het hem te gortig en vliegt hij weg. Ik ben zo gelukkig dat ik al twee keer bijna in tranen ben uitgebarsten. Ik zet mijn snorkel op en duik onder water. Vlak voor de kust is een rif. Kleurrijke koraalvissen zwemmen onder me langs. Sommige hebben mantelpakjes aan waar menig fashionista jaloers op zou zijn. Ik volg het mooiste visje dat ik zie, roze met lichtgroene strepen en een gele staart en op zijn rug zitten drie glinsterende gouden vlekken. Naast zijn vinnen ontdek ik een klein plekje in de kleuren rood, wit, blauw. Een tijd lang lig ik stil naar de foeragerende vissen te kijken.

Terug op het strand maak ik een aantal prachtige foto's. Dan loop ik de trap weer op en neem nog een duik in het zwembad, dat naast het guesthouse ligt. Loom trek ik een paar baantjes op mijn rug, mijn armen zwaaien door de lucht. Als ik er genoeg van heb, leg ik mijn armen gekruist op de rand en geniet van het uitzicht. Het zwembad kijkt uit over het natuurpark aan de ene kant en de oceaan aan de andere kant. Ik heb een heerlijk leven, denk ik en een gevoel van dankbaarheid stroomt door mijn lichaam. Tranen prikken in mijn ogen. Niets maakt me zo gelukkig als de schoonheid van de natuur. Een geruststellende gedachte. Natuur is er altijd. Die kun je opzoeken. Zo is er altijd iets om blij van te worden. Ik zet mijn voeten tegen de wand van het zwembad, zet af en laat me op mijn rug op het water vallen en draai wat pirouettes in het water.

'Aha, hier ben je!' klinkt de whiskystem van Janine, gevolgd door een enorme plons. Ik heb nog zo gezegd: geen bommetje, denk ik kribbig. Het is een schat, maar sfeer aanvoelen is niet haar sterkste punt. Ik klauter op de kant.

'Ga je er nu meteen uit?' vraagt ze.

Mijn knagende maagje biedt een welkom excuus.

'Ik heb honger, ik ga ontbijten, zie je zo.'

Janine en ik zitten buiten op het terras onder de palmbomen.

'Wie begint er in godsnaam een resort in *farfucking* Costa Rica?' vraagt Janine zich hoofdschuddend af terwijl ze in haar koffie roert.

'Daar kom je straks achter. Het is een interessante vrouw,' antwoord ik met mijn hand voor mijn mond om haar het uitzicht op de toast met roereieren te ontnemen.

'Waar laat je het toch?' vraagt ze. 'Als ik zo zou eten als jij, woog ik binnen een week honderdtwintig kilo.'

'Ik heb de spijsvertering van een aalscholver, ik poep gewoon heel veel.' Janine proest haar koffie terug in haar kopje. Ik maak niemand zo gemakkelijk aan het lachen als Janine.

'Yoga met op de achtergrond de zee en het geratel van krekels. Het leven kan zo simpel zijn als je in een duur jungleresort zit,' fluistert Janine tijdens de zonnegroet. De les wordt begeleid door meditatieve muziek. Luiz is ernstig en geconcentreerd tot het moment dat we hem na de les aanspreken. Dan komt er een vrolijke, innemende man tevoorschijn die vertelt hoe hij na vele omzwervingen, van een rockband tot motorracen, met yoga in aanraking kwam.

'And this is it. My fountain of happiness. To walk the path of yoga is to awaken to who we are so that we may stand with the strength and roots of a mountain but be prepared and able to move with the fluidity of the sea,' legt hij uit met zo'n stralend gezicht dat ik besluit bij thuiskomst meteen yogales te nemen.

24

ITSY BITSY SPIDER

Mijn benen zijn bont en blauw en ik kan niet meer lopen van de spierpijn. Maar het was het waard. In een rustige draf ben ik achter de gids aangegaan. Hij vroeg of ik ervaring had met paardrijden. Op goed geluk heb ik maar ja gezegd. Ik vond het te leuk om nee te zeggen. Dan val ik maar te pletter, maar dit ga ik doen, dacht ik. Mijn gids gaf zijn paard de sporen en ik volgde zijn voorbeeld. In galop over een pampa, of wat daar voor door moest gaan. Nooit geweten dat een paard een turbostand heeft. Tijdens het galopperen voelde ik een schok door hem heen gaan en hij begon twee keer zo hard te rennen. Het was fantastisch. Maar we hebben ook een grote afstand stapvoets afgelegd, wat me de mogelijkheid gaf om rustig de omgeving te bekijken. De tocht ging dwars door het regenwoud en onder watervallen door. Ik heb mezelf ervan moeten weerhouden om van mijn paard te springen en mijn haren erin te gaan wassen. De uitbundige natuur was sprookjesachtig mooi. Janine bleef achter om Sandra te interviewen, maar vooral omdat ze als de dood is om op een paard te klimmen. Er zijn dingen die ze niet durft.

Nu lig ik op bed, moe maar voldaan. De klamboe is opgeknoopt. Janine zit bij me in het hutje achter mijn laptop de foto's te bekijken die ik heb gemaakt.

Ik rek me uit en kijk door het openstaande raam naar buiten. Ik zie niets anders dan groen. Ik kruis mijn armen achter mijn hoofd en ontspan. Het stofnest hangt nog steeds aan het plafond. Alles is hier zo goed geregeld. Ik snap niet dat er niet op wordt gelet dat de huisjes goed worden schoongemaakt. De hutjes hebben een puntdak en zijn redelijk hoog, maar toch. Dan zie ik iets bewegen.

'Janine? Kijk jij es. Volgens mij zit daar iets. Daarboven, in de hoek, bij dat stofnest.'

Janine kijkt omhoog.

'Dat is geen stofnest, schat, dat is een spinnenweb. Zie je dat nu pas?'

'Een spinnenweb? Een eenpersoonstentje zul je bedoelen.'

'Ze komen naar binnen vanwege de regen.'

'Ze?'

'Ja, beneden in het hoofdgebouw zitten er drie. Miguel heeft ze me aangewezen. Maar ze doen niks, ze blijven gewoon zitten wachten op eten. En jij bent geen prooi, dus maak je geen zorgen.'

Ze gaat op een stoel staan om het nest beter te bekijken.

'O, kijk nou, Harry is uit zijn tentje gekropen.' Ze staat met haar handen in haar zij naar boven te kijken. Over de muur kruipt een grote, harige vogelspin. Een avondspin brengt zegen in, maar dit gaat wat ver. Ik trek er een stoel bij en ga naast haar staan. Samen kijken we naar de traag bewegende spin.

Ik zie Janine rillen.

'Doodeng,' zegt ze zacht.

'Een beetje wel, ja.' Maar ik ben ook gefascineerd. Het is een prachtig dier; zwart, met bruine strepen.

'Hij is waarschijnlijk banger dan wij,' zeg ik geruststellend.

'Ga je me nou vertellen dat jij rustig kunt slapen terwijl dit beest naar je zit te koekeloeren?'

'Nee, dat niet. We kunnen toch in jouw hutje gaan liggen?'

'Daar zitten er twee. Twee nesten dan. En zolang ik ze niet zie, heb ik er geen last van, maar nu breekt het zweet me uit.'

'Hij is wel mooi.'

'Hmm. Maar wat als hij gaat rondbanjeren vannacht. Hij is er duidelijk op uit om zijn benen te strekken.'

'Lieve Janine, je verwart een spin met een mens. Een spin is geen mens, spinnen hoeven hun benen niet te strekken. Ze zijn altijd in topvorm en zodra ze dat niet zijn, worden ze opgegeten. Zo gaat dat in de natuur.'

We staan nog steeds naast elkaar op een stoel. Allebei met onze handen in onze zij. Harry zit stil en volgens mij kijkt hij naar ons.

'Wat nu?' vraagt Janine.

'Tja. Ik wil Miguel er niet bijhalen, want die maakt er korte metten mee. Dat wil ik niet.'

'Dacht ik wel. Dierenliefde, zeker.'

'Zinloos geweld. Misschien kunnen we vragen of ze hem voorzichtig buiten zetten? Zonder hem dood te maken.'

Dan realiseer ik me dat dat geen goede oplossing is. Vanaf hier kan ik hem in de gaten houden. Maar als hij buiten ergens rondloopt, kan hij weer binnenkomen en een plekje dichter bij het bed uitkiezen. Dat vind ik een minder goed idee.

Ik stap van de stoel.

'Er zit niks anders op dan hem te laten zitten. Zoals je al zei, wij zijn geen prooi, dus we hebben niks te vrezen. Waarschijnlijk blijft hij daar de hele nacht zitten.' Ik zeg het zo kalm en zelfverzekerd mogelijk.

'Vind je het goed als ik bij jou slaap dan?' Janine kijkt me met grote angstogen aan.

Ik schiet in de lach.

'Ik heb jou nog nooit zo bang gezien. Wat grappig. Jij slaapt bij mij en ik hou de wacht. Oké?'

Janine stapt voorzichtig van de stoel af terwijl ze Harry in de gaten blijft houden.

Er klinken twee luide piepjes.

'Ik dacht dat we hier geen bereik hadden.'

'Ik heb geen idee, ik heb mijn telefoon nog niet gebruikt.' Ik kijk naar boven. Harry zit stil en reageert niet op het gepiep. Kunnen spinnen horen? In gedachten stel ik me voor dat hij een lief gezichtje met flaporen heeft en zijn duim opsteekt. Hij is blij met mijn beslissing om hem niet dood te laten maken. Hij zucht, ontspant, steekt een sigaretje op en kwebbelt honderduit over de gevaren waaraan een eenvoudige vogelspin blootstaat in de natuur. Met mijn ogen gericht op het plafond loop ik voorzichtig naar mijn tas en haal mijn mobieltje uit het zijvak. Ik wil Harry niet aan het schrikken maken waardoor hij een spurt neemt en onder het bed gaat zitten.

Er zijn een paar berichtjes binnengekomen. De laatste is van mijn moeder.

Hoe gaat het met je?
Ben je niet ziek geworden?
Mama

Ik bekijk de andere berichtjes.

Hier alles goed.
Ik hoop met jou ook.
Wanneer kom je je spullen ophalen?
Marc

Lieve schat, hoe gaat het?
Heb je het fijn?
Zaterdag is er een workshop in de Roos.
Zin om mee te gaan?
Tinke

Hoe is het met het bultje op je hoofd?

Dit berichtje is niet ondertekend en ik herken het nummer niet. Het bultje op mijn hoofd? Mijn hart begint te bonzen. Heeft Janine een grap met me uitgehaald?

'Ha ha, heel grappig.'
'Wat?'
'Dat berichtje.'
'Welk berichtje?'
Ik kijk haar aan. Ze is serieus.

Says who? Stuur ik terug.

Er komt meteen een berichtje terug.

Hè, hè, ben je daar.
Hoe gaat het in het regenwoud?
Heb je het fijn?
Mads

'Hij heeft me ge-sms't.'
'Wie?'
'Mads. Hij heeft me een sms gestuurd.'
'Wat? Die Noor voor wie je bijna door een glazen ruit bent gelopen?'

'Ja. Die.'
'Goh.'

Er zit een vogelspin naar me te staren
maar verder gaat alles goed.
Waar ben jij nu?

In Amsterdam.
Waar blijf je nou toch ☺.

'Hij is nog in Amsterdam. Hij vraagt waar ik blijf,' vertel ik enigszins verbouwereerd.
'Hij zou toch op reis gaan?'
'Ja.'
'Is hij voor jou in Amsterdam gebleven?'
'Dat weet ik niet. Dat kan ik me bijna niet voorstellen.'
Ik had me er al bij neergelegd dat ik hem nooit meer zou zien.
'Geen vrijwilligerswerk in Costa Rica dus,' zegt Janine droog. 'Hij beweegt.'
'Sorry?'
'Harry is aan de wandel.'
Ik kijk naar het plafond. 'Zullen we anders toch maar vragen of Miguel hem weghaalt, dat is misschien rustiger,' opper ik.
'Durf jij het niet? Jij bent toch zo'n dierenvriend.'
'Iets te veel poten,' mompel ik, terwijl ik nadenk over wat ik Mads zal antwoorden.

Vrijdagmiddag ben ik weer thuis ☺.

'Hij kruipt terug in zijn nest,' zegt Janine opgelucht.

Jippie! Mag ik je bellen?

Waar begin ik aan? Hij is nog in Amsterdam. Maar hoe lang is hij van plan te blijven? Ben ik een avontuurtje? Er gebeurde iets waarover ik had gelezen in boeken maar waarvan ik nooit dacht dat ik het zou kunnen meemaken. Maar heb ik het niet zelf bedacht? Omdat ik de wereld graag mooier maak dan ze is? Volg je hart. Ik sluit mijn ogen en leg mijn hand op mijn borst. Wat voel ik? Wat wil mijn hart? Het is alsof ik een duwtje in mijn rug krijg. Het voelt goed.

Heel erg graag.

25

A LOVE SUPREME

Zodra ik het huis binnenstap en Sammie blij om me heen loopt te zwiepstaarten, komt er een sms'je binnen.

Ben je al geland?

Ik ben thuis.

Mag ik langskomen?

Natuurlijk mag je langskomen.
Geef me een uurtje, dan kan ik me opfrissen.

In ijltempo haal ik mezelf door de wasstraat. Douchen, ontharen, haar wassen, nagels doen. Een week in de jungle doet wonderen voor je huid maar verder zie je eruit als een wilde bunzing.

Onder de douche kijk ik naar mezelf. Ik ben gelukkig. Ik heb een heerlijke week achter de rug en nu dit. Mijn leven neemt een vlucht, een vlucht omhoog, en staat op het punt om echt te beginnen. Ik wil niet bang zijn, niet wegduiken, geen afstand houden. Ik herinner me wat ik dacht op het moment dat ik mijn paard besteeg en voluit de ervaring indook: dan val ik maar te pletter. En was het leuk? Het was heel leuk. Liep het goed af? Het liep goed af. Mooi.

Mijn huid smeer ik in met de Cleopatra-olie. In het geval dat ik tegenval, kan de onweerstaanbare Bulgaarse roos de boel redden.

In een uur heb ik mezelf van stoffige backpacker in een *stylish urban chick* getransformeerd.

'Je kunt het zo gek niet bedenken of ik heb het in me,' giechel ik terwijl ik voor de kast sta en me afvraag wat ik aan zal trekken. Het is nog steeds heel warm. En aangezien een vrouw elke gelegenheid te baat moet nemen om een jurk te dragen, kies ik daarvoor. Ik bekijk mezelf in de vriendelijke spiegel. Was het maar altijd zomer. En waren alle spiegels maar vriendelijk.

Er komt weer een sms'je binnen.

Ben je al klaar?

Ja. Ik ben klaar.

Even later gaat de bel. Ik trek de deur open en wacht met spanning af. Zal ik het goed hebben onthouden? Is het dezelfde man die ik een week geleden heb ontmoet of heeft mijn geheugen hem anders en mooier gemaakt? Heb ik mezelf in de maling genomen? Was er iets bijzonders aan de hand of heb ik het mezelf alleen maar wijsgemaakt? Ik had het bedacht. Ik was in een roes. Ik wilde dit zo graag, maar nu ging het tegenvallen.

Ik kijk naar beneden het trapgat in.

'Nog één trap.'

Hij kijkt omhoog. Ik heb slechts een uur met deze man gepraat en toch is het volstrekt vanzelfsprekend dat hij de trap op komt lopen. Met zijn halflange, witblonde haar ziet hij eruit als een heel grote, lieve, stoere engel.

Ik laat hem binnen.

'Hoi.'

'Hoi.'

Ik geef hem een vluchtige kus op zijn wang en snuif daarbij een vleugje van zijn geur op. Geen aftershave, alleen zijn eigen geur. Hij is niet bang om tegen te vallen.

'Je ziet er goed uit.' En weer lacht hij die stralende lach.

'Dank je.'

Hij beweegt bedachtzaam, alsof hij niets om wil gooien, terwijl dat risico in het huis van Diederik zeer beperkt is. Misschien is het huis zo schaars ingericht omdat Died een enorme zenuwpees is die alles omverloopt.

Waar begin ik aan? De gedachte schiet in een nanoseconde door mijn hoofd. Niet denken, met denken verpest je alles. In het nu. O, ja bijna vergeten, probeert mijn hoofd koortsachtig niet te denken.

'Wil je iets drinken?' vraag ik terwijl hij achter me aan loopt naar de keuken. 'Ik heb een fles champagne van Schiphol meegenomen.'

Ik hou de fles met twee handen naast mijn lichaam alsof ik hem aanprijs. Hij pakt de fles uit mijn handen en zet hem op het aanrecht.

'Laat me even naar je kijken,' zegt Mads. 'Het is toch een beetje vreemd, deze situatie.'

Ik begin te grinniken van verlegenheid.

'Dus je bent niet weggegaan?' zeg ik, bij gebrek aan iets zinnigers.

'Nee, ik heb belangrijkere dingen te doen.'

'O. Wat dan?'

'Jou kussen.'

Hij neemt me in zijn armen en klemt me vast alsof hij mijn lichaam in het zijne wil drukken. Hij buigt zich voorover en we kussen. Het is heerlijk, gemakkelijk, opwindend en vreemd en vertrouwd tegelijk.

'Geen champagne, begrijp ik,' mompel ik tussen twee zoenen door.

'Laten we daar maar even mee wachten,' mompelt hij terug en hij begint me weer te zoenen.

'Die kant op,' zeg ik, en ik duw hem terug de woonkamer in. 'Almaar rechtdoor.'

Mads tilt me op en draagt me de slaapkamer in. We laten ons op bed vallen.

'De balkondeuren staan nog open,' fluister ik alsof ik bang ben dat de buren ons zullen horen. In werkelijkheid wil ik dat er een pantykousje over de lens zit om het felle zomerlicht te filteren en zo eventuele oneffenheden weg te photoshoppen met een paar dikke gordijnen. Een vrouw moet, ook in al haar passie, haar hersens blijven gebruiken als ze de angst om tegen te vallen, het gevaar van de ontgoocheling, zo lang mogelijk buiten de deur wil houden. Ik kruip van het bed, sluit de balkondeuren en doe de gordijnen dicht. Aan de overkant zie ik Janine op het balkon zitten die twee duimen opsteekt.

Zijn haar is zo zacht! Hij ruikt zo lekker! Hij ruikt naar bergen! jubelt mijn hoofd. Het denkt niet, het jubelt. Losse woorden. Mijn lichaam wil dichter bij hem zijn, het wil zich tegen hem aandrukken, het wil in hem zijn. Mijn handen willen voelen, aanraken. Niet mijn brein, maar mijn lichaam werkt op volle toeren. De kracht waarmee ik me tot hem aangetrokken voel, ken ik niet, evenals de zintuiglijke sensatie die ik voel als ik hem aanraak. Zijn geur is overweldigend heerlijk. Ik ben meteen opgewonden. Ik hoef niet te wennen; niet aan zijn lichaam, niet aan zijn huid, niet aan zijn geur. Het is alsof ik hem al jaren ken. We glijden in elkaars armen alsof we ons hele leven op dit moment hebben gewacht.

We vrijen alsof we al jaren vrijen. Het is heerlijk. Alleen maar heerlijk. Geen enkel zintuig protesteert. Ik ga volledig in hem op. Het is alsof onze lichamen al weten, wat wij nog moeten ontdekken. Alles gaat vanzelf. Geen ongemakkelijkheden, geen onhandigheden, geen verontschuldigend gegiechel, geen lichaamsdelen die in de weg zitten, alles is organisch. Zijn lichaam voelt precies goed. Zijn lul glijdt bij me naar binnen, als twee puzzelstukjes passen we in elkaar. Ik hou nu al van hem. Dit is geen verliefdheid, dit is liefde. Ik weet dat zijn naam Mads is, dat hij bioloog is en graag reist. En het voelt alsof ik verder niets hoef te weten, alsof ik alles al weet. Ik heb me nog nooit zo vertrouwd en op mijn gemak gevoeld bij iemand. Van ongemak, verlegenheid of onhandigheid is geen sprake, dit is thuiskomen.

Alle twijfel is op slag verdwenen. Hij is mijn in de tijd zoekgeraakte wederhelft. Dit is hem.

26

YOU'RE THE CLOSEST TO HEAVEN THAT I'LL EVER BE

'Gek hè,' zegt Mads.

'Ja, een beetje wel,' beaam ik.

Hij ligt op zijn zij en steunt met zijn hoofd op zijn hand. Ik lig op mijn rug naast hem. Aan alles merk ik dat hij me prachtig vindt. Het is weldadig. Hij aait me zachtjes over mijn hoofd en streelt mijn haar. Zo wild als hij vijf minuten geleden nog was, zo teder is hij nu.

'Ik maak hier geen gewoonte van, hoor. Ik wil niet dat je denkt dat het mijn hobby is om vreemde vrouwen in de plaatselijke wasserette te kussen en ze een week later het bed in te slepen. Toen ik daar stond, dacht ik alleen maar: wat een mooie vrouw. Ik was bang dat ik je nooit meer zou zien als ik niets deed. Het gebeurde zonder dat ik erbij nadacht. Ik ben eigenlijk heel verlegen.'

'Ik ook.'

'Daar heb ik niets van gemerkt.'

'Ik heb ook niet gemerkt dat jij verlegen bent, gezien het tempo waarmee je me in bed sleurt.'

'Ik heb het niet van tevoren bedacht. Doordat ik verlegen ben, neem ik soms grote stappen. Als ik mijn eigen tempo had aangehouden, lagen we over een jaar nog niet in bed.' Hij grinnikt. 'Ik heb geleerd mijn verlegenheid te negeren.'

'Hoe doe je dat dan?'

'Door niet te denken en alleen maar te doen. Ik laat mijn lichaam beslissen waar het wil zijn. En dat is hier.'

Hij legt zijn hand op mijn buik en knijpt er zachtjes in.

Het is het liefste wat iemand ooit tegen me heeft gezegd.

Ik rol op mijn zij en nestel me in de holte van zijn arm. Hij legt zijn been over de mijne. Ik realiseer me dat ik me nog nooit, tot in het diepst van mijn ziel, véilig heb gevoeld bij een man. Altijd was er iets in me op zijn hoede.

'Je bent de liefste en zachtste man die ik ken,' mompel ik in zijn geurende oksel.

Hij trekt me steviger tegen zich aan. Ik doe mijn ogen dicht en slaak een diepe zucht.

'Vertel me een kleine geschiedenis van bijna alles wat ik van je weten moet,' zegt Mads.

'Er valt niet zoveel te vertellen.'

'Dat geloof ik niet. Wat is het bijzonderste wat je zou kunnen vertellen?'

'Mijn moeder was een hond.'

'Pardon?'

'Omdat ik zoveel huilde als baby, legde mijn vader me in de mand bij de hond. We hadden een blonde, intens lieve Hovawart. Ze stond meteen na mijn geboorte kwispelend naast de wieg en ging naast me liggen alsof ze me wilde beschermen, alsof ze wist dat er een taak voor haar was weggelegd. De taak die mijn moeder niet op zich kon of wilde nemen. Wekenlang heb ik onophoudelijk gehuild en altijd lag Billie zacht piepend naast de wieg. Zo kwam mijn vader op het idee om me bij haar in de mand te leggen. Er is me verteld dat ze zachtjes mijn hoofd likte en dat ik toen stil werd en in slaap viel waarna Billie met een diepe zucht haar kop neerlegde. Mijn vader heeft er foto's van gemaakt. Ik zie er intens gelukkig uit. Met mijn knuistjes hou ik me stevig aan haar vast en zij houdt haar voorpoot omhoog omdat ze voorzichtig met me wilde zijn. Het is het toppunt van tederheid, die foto. Billie kijkt met halfgesloten ogen in de camera, een en al zachtheid. Ik voel me meer op mijn gemak bij dieren dan bij mensen. Mensen zijn me te gecompliceerd. Als kleuter moest mijn vader me elke avond uit een hok halen van een van de dieren die herstellende was in de praktijk. Ik begrijp dieren beter dan mensen, relaties zijn verwarrend voor me. Ik probeer mijn eigen chaos in goede banen te leiden maar meestal neem ik de chaos van de ander er ook bij. Ik ben gezegend met een nogal ruim uitgevallen inlevingsvermogen. Ik ben niet zo goed in praten, beter in voelen. Daarom voel ik me verwant met dieren.'

'Dus als ik op handen en knieën ga staan en een beetje met mijn vacht tegen je aan schurk, voel jij je thuis.'

Hij wrijft zijn borsthaar in mijn gezicht en gromt. Ik sla mijn armen en benen om hem heen.

'Je bent mijn grote, blonde kat.'

'Ik wil geen kat zijn.'

'Mijn grote, blonde tijger dan. Mijn sneeuwpanter.'

'Een leeuw, ik wil jouw leeuw zijn. Jouw koning van de jungle.' Hij likt mijn gezicht. Ik streel zijn rug.

'Heb jij iets met dieren?' vraag ik.

'Niet zozeer met huisdieren. Ik hou van dieren in het wild. Op een van mijn reizen ben ik een kameleon tegengekomen. Hij keek me met één oog aan en met het andere hield hij nauwlettend de omgeving in de gaten. Hij liep achter me aan, dus heb ik hem opgepakt en op mijn schouder gezet. Hij is een paar dagen bij me gebleven.'

'En wat is jouw geschiedenis van bijna alles?' vraag ik terwijl ik zijn borsthaar streel.

'Dat heb ik je al verteld. Veel meer is er niet.'

'Wanneer was je het gelukkigst?'

'Nu.'

Weer knijpt hij in mijn buik. 'Wat zou jij het liefste doen?' vraagt hij. 'Als er geen kans bestond dat je zou kunnen falen?'

'Zingen en gitaarspelen op een Gibson. Liever nog zou ik drummen, maar ik ben te motorisch gestoord om dat ooit te leren.'

'Interessant antwoord voor iemand die stil en zwijgend observeert vanachter haar camera. Dus als ik het goed begrijp, lig ik naast een kleine blanke Sheila E. in de dop. Ik zou zeggen, ga je gang. Ik luister.'

'Je zei, als ik niet zou kunnen falen. Ik kan helemaal niet zingen. Ik zing alleen als de muziek hard aanstaat en ik niet boven de muziek uit kan komen. Ik kan niet naar mezelf luisteren.'

'Misschien kan ik het wel.'

'Ik zou het je niet aanraden. Laten we je trommelvliezen maar sparen, dat lijkt me beter.'

'Ik speel gitaar. Jij op de drum. We zouden samen een bandje kunnen beginnen. De hardrockvariant van Saskia en Serge.'

'Mads en Misabelle. Dat wordt geheid een hit.'

Hij grinnikt. 'Wij maken muziek, merk je het niet? Het tinkelt tussen ons.'

Hij buigt zich voorover en kust me.

'Heb je niks te knabbelen?' vraagt Mads, zijn gezicht heel dicht bij het mijne.

'Ik heb alleen wat sushi in huis.'

'Ik heb al de hele dag trek in sushi. En dan is er nog iets wat ik je al een tijdje wil vragen.'

Zijn stem klinkt zachter nu. Zijn gezicht is nog steeds heel dicht bij het mijne. Ik vraag me koortsachtig af wat hij me in godsnaam wil vragen aangezien hij de diepte opzoekt met zijn stem. Door die verandering in toonhoogte lijkt het erop dat er een serieuze vraag gesteld gaat worden. Ik voel hoe mijn hartslag verdubbelt, al heb ik geen idee waarom. Dit is dus waarom ik niet goed ben in relaties. Alles is aanleiding tot stress. Leuke dingen, minder leuke dingen, het maakt niet uit. Ik ben te gevoelig voor spanning. En als de spanning wordt opgevoerd, al is het bij een leuke film, dan kruip ik het liefst onder de tafel met een theedoek over mijn hoofd om maar niet te hoeven zien dat de haaien Flipper willen opeten. Ik kan er niet tegen. Ook niet als ik weet dat het goed afloopt, ook niet als ik weet dat Flipper nooit wordt opgegeten omdat dat het einde van de serie betekent.

'Ben je eigenlijk klaargekomen?'

Mijn hart begint nog harder te bonzen. *The heart of the matter.* Zijn we daar al? Dat gaat snel. Ik begin weer te blozen. Er is me nog nooit gevraagd of ik ben klaargekomen. Nu deed ik meestal alsof ik hemelbestormende orgasmes beleefde maar geen van mijn bedgenoten heeft ooit gezegd: 'Zeg, schat, zojuist, zeg es eerlijk, dat was niet echt, hè?' Tevreden van en na hun eigen hoogtepunt rolden ze zich altijd op hun zij. Marc sliep gewoon door. Als ik wat amechtig had gekreund en wat met mijn benen in de lucht had gezwaaid en in elk geval de indruk had gewekt dat ze me geen pijn hadden gedaan, was het goed. Hoe goed het was, werd vastgesteld aan hun eigen plezier, niet aan dat van mij. Het ging om hun behoefte, niet om die van mij en ik heb me daar jaren niets van aangetrokken. Ik heb me aangepast en me ontfermd over hun behoefte. Over mijn eigen behoefte fantaseerde ik alleen, dat was veilig, overzichtelijk en schoon.

Misschien vraagt hij het omdat ik niet heb gedaan alsof. Ik ben het vergeten. Ik heb genoten en ik heb werkelijk geen idee welke bewegingen en geluiden ik heb gemaakt.

'Ik kan niet klaarkomen,' beken ik.

'Dat meen je niet. Heb je nog nooit een orgasme gehad?'

'Jawel, maar ik kom alleen klaar als ik het zelf doe.'

'Wil je het nu zelf doen?'

'Sorry, het komt nu even niet uit. Ik was net op weg naar de sushi.'

'Als je terugkomt dan.'

'Waarom?'

'Om klaar te komen.'

'Geloof me. Dit was de meest bevredigende vrijpartij ooit. Ik voel geen enkele behoefte om het nu zelf te doen. Ik heb wel zin in een glaasje champagne, volgens mij heb ik iets te vieren.'

'Jij of wij?'

Ik aarzel. 'Wij,' zeg ik zacht en ik voel hoe ik begin te blozen. Ik merk dat het me moeite kost om dat te zeggen. Alsof ik met het woordje 'wij' iets van mezelf blootgeef wat me kwetsbaar, en dus bang, maakt.

'Als jij de champagne pakt, ga ik even nadenken,' stelt hij voor.

Mijn hart begint te bonzen. Gaat hij nadenken over het woordje 'wij'? Heb ik nu al te veel gezegd? Heb ik zonder dat ik er erg in had de toekomst er bijgesleept? Iemand die al jaren over de wereld reist is natuurlijk behept met een lading bindingsangst waar je u tegen zegt, en zeker geen we.

De mannen op wie ik val zijn losbollen of plakkers. Mijn relaties gingen altijd over macht en afhankelijkheid. Zoals het nu is, heb ik het nog nooit meegemaakt. Het voelt alsof we elkaar even leuk vinden, evenveel van elkaar houden en in gelijke mate tot elkaar worden aangetrokken.

En nu heb ik het woordje 'wij' gebruikt. Nu ben ik de lul. Ik ben veel te hard van stapel gelopen. Ik durf niet te vragen waar hij over moet nadenken. Blijf in het nu, maak je niet bezorgd, denk niet na, genieten van het moment, flitst door mijn hoofd. Er ligt een heerlijke man in mijn bed en in de keuken staat en fles die 'ploep' zegt.

Ik stap uit bed en overweeg heel even om met laken en al uit bed te stappen, net als in de film. Ik heb nooit veel zelfvertrouwen gehad als ik naakt was. Maar ik hou me in. Hij zal eraan moeten geloven, aan mijn naakte waarheid. Bovendien bestaat het boze derde oog niet in het nu. Ik pak een badjas uit de antieke garderobekast. In de spiegel zie ik hoe hij naar me kijkt.

'Je bent mooi.'

'Dank je,' pruttel ik, terwijl ik de badjas om me heen sla en de badkamer in loop.

'Waar moet je eigenlijk over nadenken?' vraag ik opeens. Vanuit de badkamer werp ik de vraag met zo veel mogelijk nonchalance het bed in. Achteloos, zonder nadruk, in een poging geen paniek te zaaien. Ik kan het er maar beter meteen uitgooien. In de badkamer fatsoeneer ik mijn haar enigszins en ik probeer zo stralend mogelijk om de hoek van de slaapkamer te kijken. 'Nou? Waar moet je over nadenken?' vraag ik nogmaals.

Mads ligt ontspannen in bed, rekt zich uit en vouwt zijn handen achter zijn hoofd, volkomen op zijn gemak in zijn blonde, bruine vel. Zijn borsthaar glinstert van de kleine zweetdruppeltjes.

'Hoe ik jou kan laten klaarkomen. Ik ga de deur niet uit voor ik je een *screaming orgasm* heb bezorgd. En dat is een belofte.' Hij kijkt me met zijn blauwe kijkers aan en grijnst vol zelfvertrouwen.

Het is al zover. Het verlatingsmonster is ontwaakt, mijn fobie is tot leven gewekt. Ik hou van iemand. Ik ben dol op iemand. En dat is meteen reden voor grote paniek in mijn hele systeem. *All red flags are out.* En ik heb geen idee hoe ik die binnenboord hou. Het maakt niet uit wat hij zegt, álles is reden tot tobben. Elk woord vertelt wanneer het zal eindigen en draagt de boodschap van een toekomstig verlies in zich mee. Ik ga hier de deur niet uit, zei hij net. Hoe komt hij erbij dat hij de deur uit moet? En wanneer gaat hij dan de deur uit? En wanneer komt hij weer terug? Komt hij wel terug?

Niet aan de toekomst denken en niet denken dat het nooit meer voorbij mag zijn, vermaan ik mezelf. Losslaten. Er is alleen nu, en ik laat deze heerlijke dag niet verpesten door mijn hoofd, dat zich met geen mogelijkheid in de ruststand laat zetten. De angst, altijd weer die angst. Om afgewezen te worden, om verlaten te worden. Ik kan rationaliseren totdat ik een ons weeg; dat het er niet toe doet, dat er dan wel weer een andere leuke man voorbijkomt. Het maakt niet uit. Het lijkt op pleinvrees. Niets aan de hand met dat plein maar toch ga ik hyperventileren, breekt het zweet me uit en ben ik met geen stok dat plein over te krijgen. Het is sterker dan ik, sterker dan nú. Sterker nog, het is in het nú. Daar hebben we de poppen mooi aan het dansen. Voorzichtig met wat je wenst, we staan niet garant voor de bijwerkingen. Mijn hoofd gaat zijn eigen gang en maakt zijn eigen plaatjes. Ik heb er geen controle meer over. De film begint.

'Schat, het was leuk maar de wereld lonkt,' hoor ik hem al zeggen in mijn hoofd. 'De wereld is groot en er zijn nog meer bloemetjes die smeken bevrucht te worden. Jij wílt niet eens bevrucht worden, dus tabee. Mijn instinct laat mij verder vliegen. Het is de natuur. Je moet me teruggeven aan de natuur. Niet huilen, er zwemmen nog meer vissen in de zee. Er vliegen nog meer bijtjes door de lucht.' En op de achtergrond klinkt:

Papa was a rolling stone. Wherever I lay my hat that's my home. I'm the wanderer.

'Maar ik wil alleen jou, ik hou alleen van jou, zonder jou ben ik verloren,' piept de hoofdrolspeelster van de film.

'I bet you say that to all the boys,' antwoordt hij en trekt een mondhoek op in een sexy grimlach, geeft haar een knipoog, zwaait zijn rugzak op zijn rug, duwt zijn Indiana Jones-hoed wat steviger op zijn hoofd en stapt op zijn kloeke cowboylaarzen de trap af, haar leven uit.

Niet denken, niet denken. Ik wil niet denken over waar het naartoe gaat met deze liefde. Ik wil ervan kunnen genieten, al is het maar een weekend. Dan duurt het maar een weekend. Laat ik proberen te genieten van deze dag alsof het mijn laatste is. Niet denken, als ik ga denken over hoe het verder moet in de toekomst; een leven samen, hoe houden we het zo fijn, zo geil, zo leuk, dan raak ik in paniek. Mijn enige gedachte is namelijk: dat kan niet, dat kan ik niet. Ik ben immers een mislukt tegenvallertje. En tegenvallertjes kunnen dat niet. Op een goede dag vallen tegenvallertjes onherroepelijk tegen.

Ik heb mezelf nog nooit echt aan iemand toevertrouwd. Uit angst om bedrogen of gemanipuleerd te worden, uit angst voor het verlies, uit angst voor de nederlaag, uit angst voor het falen. Denk aan wat je wilt, prent ik mezelf koortsachtig in. Beter nog: denk niet. Geniet van het moment. Laten we es kijken wat dat oplevert.

Champagne! Drinken! Daarom drinken mensen zoveel. Om het denken te stoppen. En het voelen, dat wordt veroorzaakt door het denken. Ik wil mijn hoofd stilzetten en voor de rest van mijn leven dit moment beleven. Ik wil niet verder. Mijn leven mag hier ophouden, op dit moment, dit mag het zijn. Het doet me denken aan de film *Groundhog Day* met Bill Murray, die in deze film jarenlang dezelfde dag opnieuw beleeft. Van mij mag dat deze dag zijn. Meer hoef ik niet. Dit wil ik graag elke dag, de rest van mijn leven.

Hallo? Hoort u mij? Ik hoop dat het universum zijn ontvanger aan heeft staan.

27

BESOS DE LOS ANGELES

Ik pak de champagne uit de koelkast en met twee flûtes in mijn hand, loop ik terug naar de slaapkamer. Ik ben de ideale vrouw, denk ik bij mezelf om tot rust te komen. Wat zullen we nou krijgen. Na de seks schenk ik champagne en serveer ik sushi op bed. Wat wil een man nog meer?

Mads ligt uitgestrekt in bed met zijn ogen dicht.

'Ben je in slaap gevallen?' vraag ik zachtjes.

Hij doet zijn ogen open.

'Terwijl ik lig te bedenken hoe ik jou tot grote hoogte kan brengen? Onmogelijk.'

'Doe geen moeite, ik vind het heerlijk met je en mis het niet.'

Ik zet de glazen en de fles op het nachtkastje en loop terug naar de keuken voor de sushi.

Ik mis het niet, maar ik ben wel nieuwsgierig. Nieuwsgierig of ik het kan. Ik heb erover gelezen en ik heb het in films gezien, in speelfilms dan, want in pornofilms zie je vrouwen gek genoeg nooit klaarkomen. Maar in speelfilms, ik denk aan een Sharon Stone in *Basic Instinct*, komen vrouwen als gekken klaar met zulk gemak en een hevigheid zonder dat een man er ook maar iets voor hoeft te doen. De vrouw is een wilde, hete merrie, die genoeg heeft aan het berijden van de stier. Er is niets ingewikkelds aan, als je maar geil genoeg bent. De man hoeft niet eens aantrekkelijk te zijn; het orgasme wordt gepresenteerd als een kwaliteit van de vrouw, niet van de man. Als een vaardigheid en niet als het gevolg van een diepe verbondenheid en overgave. Of als het gevolg van liefde.

Met de sushi in mijn handen kruip ik terug onder het laken.

Een windvlaag bolt het gordijn en ik zie tot mijn grote opluchting dat Janine niet langer op het balkon zit.

'Zalm of tonijn?' vraag ik.
'Zalm.'
Ik doop het rijstballetje met het plakje zalm in de sojasaus en smeer er met mijn vinger een beetje wasabi op. Ik hou het voor zijn gezicht. Mads neemt een hap en likt mijn vingers erbij af.
'Seks is een kwalitcit,' zegt hij met volle mond. Hij pakt de fles champagne en begint het folie eraf te trekken. Kan hij mijn gedachten lezen?
'Wat bedoel je daarmee?' Ik prop een rijstballetje met tonijn in mijn mond. Iets te veel wasabi. De tranen springen in mijn ogen en mijn neus en oren prikken. Mads merkt het niet. Hij is verdiept in het wetenschappelijke vraagstuk van het vrouwelijk orgasme en in dat van een champagnekurk.
'Ik denk hardop. Ik vraag me af waarom je niet klaarkomt en daarvoor probeer ik me in je te verdiepen,' zegt hij, terwijl hij het ijzerdraad van de champagnefles in het rond draait en het kroontje van de kurk trekt.
'Maar je kent me helemaal niet.'
'Maar het voelt wel alsof ik je ken en bovendien beschik ik over buitengewone kwaliteiten. Ik ben de Char onder de mannen, had ik je dat nog niet verteld? Als ik mijn ogen sluit, krijg ik een beeld van wat er aan de hand is, dan voel ik wat jij voelt, als ik me erop concentreer.'
Hij houdt de fles schuin voor zich uit en duwt heel langzaam met zijn duim tegen de kurk.
'Wat voel ik dan?'
'Schaamte.' De kurk plopt eraf.
Ik voel me betrapt en blootgelegd. Heeft de angst om tegen te vallen niet alles met schaamte te maken? Met faalangst, het niet kunnen voldoen aan de verwachtingen die je van jezelf hebt. En leg ik de lat niet onbereikbaar hoog? Is het ooit goed genoeg wat ik doe? Hoe ik het doe? Waarom ik het doe?
Ik hou de glazen onder het schuim. Geconcentreerd schenkt Mads de glazen vol. Hij zet de fles naast het bed en neemt een glas uit mijn hand.
'Proost.'
Hij kijkt me aan.
'Vertel es.'
'Wat?'

'Vertel es over jezelf en je seksleven.'

Het liefst zou ik nu het laken over mijn hoofd trekken en in een diepe slaap vallen. Tegen hem aan, zachtjes spinnend, maar niet praten. Ik transformeer in de schone slaapster en word alleen nog wakker wanneer een prachtige, kuise prins me wakker kust en we nog lang en gelukkig leven zonder dat we ooit over seks of andere intimiteiten hoeven te praten. Ik wil niet over mezelf praten. Als ik over mezelf ga praten komt er een moment dat hij denkt: o, maar dat had ik me heel anders voorgesteld. Het wordt hoog tijd voor een enkeltje Vanuatu, waar de mensen niet tegenvallen.

'Er valt niet zoveel te vertellen,' mompel ik en ik neem een flinke slok champagne. Ik aai even over zijn wang en glimlach. 'Heb jij een cursus psychotherapie gedaan *or what*?' grap ik en ik neem nog een slok. Ik drink in één keer mijn glas leeg.

'Bijvak psychologie, puur uit interesse.' Hij schenkt mijn glas weer vol. 'Champagne helpt,' lacht hij.

'Waartegen?'

'Tegen schaamte. Tegen je angst voor mij.'

'Wie zegt dat ik bang ben voor jou?'

'Iedereen is bang voor de persoon van wie hij houdt. Ik ben ook bang voor jou.'

Het is heel even stil in mijn hoofd. Ik laat het fragment nog een keer voorbijkomen. 'Ik ben bang voor jou' zei hij in dezelfde zin als 'van wie je van houdt'. Als ik het goed begrijp, houdt hij dus van me. Voor het geval dat ik het verkeerd heb begrepen: beter niet reageren.

Ik neem maar weer een flinke slok bubbels.

'Verslik je niet,' zegt hij. We schieten allebei in de lach waardoor ik me wel verslik. Boerend en snikkend van het lachen kom ik tot stilstand. Hij giert het uit van het lachen.

Hij trekt me tegen zich aan. Ik kruip op zijn schoot en sla mijn armen en benen om hem heen. Ik ben een beetje duizelig van de champagne.

Hij zet zijn glas neer.

'Mag ik wel gewoon doordrinken?' vraag ik. En ik neem nog een hap sushi.

'Ja, drink jij maar door. Dat lijkt me een goed begin.'

Ik wil wegrennen, omdat alles in me bij deze man wil zijn en nooit meer weg wil. Ik wil de film wederom stopzetten. Ik wil niet verder. Ik ben bang voor het einde en bang voor de afgrond. Want er is een afgrond, mijn wereld is plat en als ik te ver doorloop, val ik eraf. Maar omdat ik niet kan wegrennen en ik de film ook niet stop kan zetten, drink ik mijn champagne en kijk naar hem, en vraag me af waar ik het aan verdiend heb. Deze prachtige man, die zo lekker in zijn vel zit en zich volstrekt ontspannen afvraagt hoe hij het leven voor mij wat bevredigender kan maken. Waarom is het zo moeilijk om volkomen eerlijk en kwetsbaar te zijn bij iemand van wie je houdt? Dat is de omgekeerde wereld, het zou gemakkelijk moeten zijn. Maar het is het moeilijkste wat er is.

'Vertel. Waarom kom je niet klaar als je met een man bent? Moet ik iets doen waar ik nog nooit van gehoord heb? Heb je speciale dameswensen?'

'Ik heb het nog nooit geprobeerd.'

'Je hebt nog nooit geprobeerd om klaar te komen, begrijp ik dat goed?'

'Nee, ik denk het niet. Ik heb het altijd te druk gehad met het de ander naar de zin te maken.'

'Je bedoelt dat je zelfs in bed probeert te voldoen aan verwachtingen?'

'Ik denk het ja.'

'Denk je dat je daar nog mee kunt stoppen op deze leeftijd? Of is deze gewoonte zo diep ingesleten dat je er voor de rest van je leven aan vastzit? Wat kunnen we daaraan doen? Moet ik een joint halen en je apenstoned laten worden? Drie flessen champagne? Wat is ervoor nodig om jou je eigen verwachtingen te laten vergeten? Laat me even nadenken.'

Ik heb al meer van mezelf blootgegeven dan ik wil en meer dan ik ooit in mijn leven van plan was. Als hij me maar niet stom vindt, nu ik dit zeg. Ik wil alleen maar fantastisch zijn, alleen maar laten zien hoe geweldig ik ben. Ik wil niet laten zien dat ik iets niet kan.

'En wat als dit de laatste vrijpartij van je leven is?'

'Wat? Hoe bedoel je?' Ik kijk hem verschrikt aan.

'Geloof me, dat is het niet, want ik ben nog lang niet klaar met je, maar stel dat dit je laatste kans op een orgasme is. Denk je dat je dan wel je verwachtingen en je controle kunt opgeven? Bij wijze van experiment. Tenslotte is de toekomst een illusie. Het is nog maar de vraag of we morgen weer wakker worden. Het klimaatprobleem kan in vierentwintig uur tot monsterlijke proporties uitdijen waardoor we morgen wakker worden in een nieuwe ijstijd, of we staan tot onze nek in het water, dan is het ook uit met de pret. Vandaag schijnt de zon, het is de derde vrijdag van juni, de mooiste dag van het jaar, en we zijn bij elkaar. Ik ben nog nooit zo gelukkig geweest. En met een beetje mazzel, jij ook niet. Dat is toch wat we te vieren hebben? Dat het zo fijn is? Daar is die champagne toch voor?'

Intussen stromen de tranen over mijn wangen.

'Hé, wat is er?' Hij aait over mijn wang.

'Ik weet het niet,' snotter ik. 'Hoe weet je dat allemaal? Dat ik nog nooit zo gelukkig ben geweest?'

'Dat weet ik ook niet, ik voel het zo en blijkbaar voelen we hetzelfde.'

Ik knik en veeg mijn tranen weg. Hij kust mijn gezicht. Duizelig van de champagne laat ik me achterover op bed vallen. Hij buigt zich over me heen.

'Weet je wat "sproetje" betekent in het Spaans? *Besos de los angeles*. Kusjes van engelen.'

Hij kust de sproeten over mijn hele lichaam. Hij schuift het gordijn een klein beetje open en kijkt naar me. Ik protesteer niet. Slap van geluk en de champagne lig ik in het grote bed van Diederik tussen de zachte lakens van kamgarenkatoen. En ik ontspan.

Mads pakt het lege glas uit mijn hand en zet het op de grond. Hij veegt het haar uit mijn gezicht, streelt mijn hoofd, mijn gezicht, mijn borsten.

'Volgens Marc waren er seksmeisjes en trouwmeisjes,' fluister ik.

'Ik trouw alleen met een seksmeisje,' fluistert hij en hij zoent me. Mijn borsten, mijn buik, de binnenkant van mijn dijen.

Ik haal diep adem.

'Ik ben bang om tegen te vallen,' zeg ik opeens.

'Zal ik je eens iets vertellen?'

'Ja.'

'Ik ben altijd bang geweest om van iemand te houden.'

'En nu?'
'Nu niet.'
'Waarom nu niet?'
'Omdat ik daar niet meer aan doe. Zonde van de tijd.'
Hij neemt een slok champagne en duikt tussen mijn benen. Hij spuit de champagne in mijn kut, begint me te likken en drinkt de champagne, vermengd met mijn vocht, weer op.
'Dit is het lekkerste wat ik ooit heb geproefd,' gromt hij.
Hij laat zich niet remmen door geur of smaak, hij laat zich gaan. Hij verliest zich in me. Hij eet en drinkt me. Gewoonlijk is er altijd iets in een man wat afstand probeert te houden en oordeelt. Iets wat zich inhoudt in plaats van volledig samensmelt. Mads is niet bang voor seks, hij heeft geen behoefte aan afstandelijkheid. Het maakt dat ik me zo veilig voel. Mads richt zich op en buigt zich naar de garderobekast. Hij strekt zijn arm uit en zwaait de deur open. Hij laat zich naast me vallen en trekt me boven op zich.
'Kijk naar jezelf in de spiegel,' fluistert hij.
Daar wacht ik liever nog even mee. Ik doe mijn ogen dicht, glij naar beneden en neem zijn lul in mijn mond. Ik streel en zoen zijn ballen en draai rondjes met mijn tong over zijn eikel terwijl ik mijn handen over zijn buik en borst laat glijden. Hij kreunt. Mijn verstand gaat op nul, na twintig jaar staat het eindelijk op nul. Ik ben, ik doe. Ik vraag me niet af wat hij van me vindt, wat ik ervan vind of wat de wereld ervan zal vinden. Ik ben gestopt met denken en doe wat ik wil. Ik zuig aan zijn lul en kijk omhoog. Ik zie hoe hij naar me kijkt. Hij trekt me op zich om me te likken. Ik zit op zijn gezicht en open voorzichtig mijn ogen en kijk in de spiegel. Mijn lichaam begint zacht te schokken. Hij glijdt onder me vandaan en komt achter me staan. Hij legt een arm om me heen en begint me voorlangs te vingeren.
'Laat het gaan,' zegt hij weer, met hese stem. 'Geef je over. Kijk in de spiegel. Zie hoe goed het is, het is goed.'
Ik snak naar adem.
'Gaat het?' vraagt hij.
'Ja.'
'Je bent zo mooi,' fluistert hij. 'Zo geil.'
Hij streelt de huid van mijn heupen, grijpt me vast, laat zich in me glijden en begint me hard te neuken.

Ik zie dat hij naar me kijkt, dat hij het heerlijk vindt en dat hij niet oordeelt. Hij veroordeelt me niet omdat ik me laat gaan in mijn geilheid. Ik laat me meeslepen in zijn genot en zijn passie. Het windt me op en het doet me zo van hem houden.

Ik verlies de controle over een groot deel van mijn spieren. Ik kan mijn ogen niet meer openhouden. Mijn handen ballen zich onwillekeurig tot vuisten. Ik haal diep adem. Ik kreun, steeds harder. Hij draait me om, gooit mijn benen over zijn schouders en begint me wild te neuken. Mijn lichaam begint te schokken. Ik grom en schreeuw. Ik ontspan en laat zijn stoten op me inbeuken, dan sla ik mijn benen om zijn heupen en span mijn dijen aan. Mijn lichaam begint te bokken en te stoten. Ik kom klaar en het lijkt wel of alles wat er nooit eerder is uitgekomen, nu vrijkomt. Ik schreeuw het uit. Het windt hem zo op dat hij ook begint klaar te komen en nog wilder op me inbeukt, zodat we tegelijk klaarkomen.

We liggen allebei uitgeput na te hijgen. Volmaakt gelukkig en voldaan. Hij kijkt naar me en glimlacht.

'Je bent een fantastische vrouw.'

Ik begin hard te huilen.

'Waarom huil je?'

'Ik weet het niet.'

'Het is goed om te huilen na seks. Laat het maar gaan.'

'Het klinkt vreselijk, maar alle andere keren, met andere mannen, bedoel ik, neukten we alleen maar. Nu voelt het anders. Het klinkt vreselijk goedkoop, maar nu is het...'

'Alsof we de liefde bedrijven.'

'Ja,' zeg ik en ik begin nog harder te huilen. Hij streelt mijn haar en mijn rug en drukt me tegen zich aan.

'Gooi het er maar uit. Laat het maar gaan.'

Hij houdt me vast.

'Waar is je camera?' vraagt hij.

'In de woonkamer op tafel, denk ik.'

Hij springt uit bed en rent de woonkamer in. Hij komt terug en begint te klikken.

'Dit moment, daar gaat het om,' prevelt hij. Hij maakt foto's van mijn betraande gezicht. Ik wil me verbergen maar hij houdt lachend mijn handen vast en klikt.

'Dit is mooi voor later.'

Dat weet ik niet, ik weet alleen dat ik van hem hou. Iemand op deze manier liefhebben is zo'n wonder. Ik ben dankbaar. Dankbaar omdat we elkaar hebben gevonden, want zo voelt het. Dat mijn hele leven en alles wat ik heb meegemaakt me hier heeft gebracht, en het maakt alles wat ik heb meegemaakt goed.

Lepeltje lepeltje vallen we in slaap.

28

AFTER THE GOLDRUSH

Wanneer ik midden in de nacht wakker word, liggen we hand in hand. Het onweert. Zachtjes haal ik mijn hand uit de zijne en glij uit bed. Ik open de balkondeuren. Aan de overkant brandt licht, maar de gordijnen zijn gesloten. Ik wil het van de daken schreeuwen. Mijn hart wil uit mijn borstkas springen als een groot rood tekenfilmhart dat kloppend in de lucht blijft hangen. Ik loop de woonkamer in. Sammie ligt op de bank te slapen. Ik aai hem zachtjes over zijn kop en laat mijn hand doorglijden naar zijn staart. Hij draait zich spinnend op zijn rug en laat in totale overgave zijn buikje zien, blij met de aandacht die hij krijgt na een week alleen zijn. 'Hé binkie,' fluister ik. Ik begraaf mijn gezicht in zijn zachte velletje. Hij ruikt lekker. Ruikt het lekker omdat ik ervan hou of hou ik ervan omdat het lekker ruikt?

Bliksemflitsen verlichten de kamer. Sammie kruipt bij me op schoot en met zijn nagels duwt hij in mijn blote benen. Ik til hem op en leg hem op zijn rug op mijn linkerarm en loop met hem door de kamer. Ontspannen kijkt hij langs mijn bovenarm om zich heen. Hij laat zich de tour door het huis aanbieden. Vanaf deze hoogte ziet het huis er heel anders uit en geïnteresseerd bekijkt hij de zwetende boksers aan de muur.

Ik loop de slaapkamer weer in en zet hem zachtjes op bed. Eventjes verstart hij. Ik ga naast hem zitten en blijf hem aaien. Langzaam gaat hij zitten en krult zijn staart om zich heen. 'Niets aan de hand. Alles is goed,' fluister ik.

Mads ligt vredig op zijn zij te slapen, onder het laken. Zijn armen heeft hij voor zich gevouwen. Ik kijk naar de niet-snurkende man met de bedwelmende geur. Deze prachtige, lieve man. *Ask and thou shall be given.* Is het zo makkelijk? Was het altijd al zo makkelijk? Is ons grootste probleem misschien dat we niet kunnen geloven dat het leven heel makkelijk kan zijn, dat het zacht en meegaand is? Waarom denken we altijd dat alles moeilijk en zwaar is? Iemand, ergens, heeft me doen geloven dat het leven niet leuk en niet goed is.

Ik geniet van het onweer en de zoemende stilte in huis tussen de klappen door. De stilte voor de regenbui, die op het punt staat los te barsten.

Als kind was ik doodsbang voor onweer. Ik sloop door de lange gang naar de kamer van mijn ouders en stond verstijfd tegen de muur bij elke donderslag. Ik maakte mijn moeder wakker. 'Ga maar aan het voeteneind liggen,' zei ze dan half slapend. Dat ik warme, koesterende armen om me heen wilde hebben, kwam niet in haar op. Ik vroeg er ook niet om. Ik deed wat gezegd werd. Het bed was te klein voor drie personen, volgens mijn moeder. En dus kroop ik op het voeteneind tegen de eeltige voeten van mijn ouders aan. Al snel kwam ik op het idee om naar mijn vaders praktijk te hollen, waar ik dan in een van de hokken kroop. Er lag altijd wel een hond of kat te herstellen die mijn koestering net zo hard nodig had als ik de zijne. Daar voelde ik me veiliger dan bij mijn ouders in bed.

Ik vraag me af waarom ik niet aan de kant van het bed waar mijn vader sliep ging staan. Misschien had hij wél de dekens opzijgeslagen en me tegen zich aan gedrukt. Toen ben ik dus al begonnen met het maken van de verkeerde keuzes. Ik dacht waarschijnlijk dat hij zijn slaap hard nodig had, omdat hij de volgende dag weer moest werken, waar Mira koffiezette en zijn lunch klaarmaakte. Mijn moeder zag hij pas 's avonds bij het avondeten. Ze gaf hem een vluchtige kus op zijn wang en zette zwijgend het eten voor ons op tafel. Na het eten kroop ik bij hem op schoot. Mijn vader werd de hele dag omringd door vrouwen die hem aanbeden om het gemis van de liefde van mijn moeder te compenseren. Daar kon ze niks aan doen, ze wist niet beter.

Liefde moet je leren. Mijn moeder is het niet geleerd. En ik ben heel erg bang dat ze het mij ook niet geleerd heeft en dat ik alleen van dieren kan houden. Dieren die niet protesteren en waar je controle over hebt. Zit, vecht, huil, lig en apport. De simpele behoeften van een huisdier zijn gemakkelijk en zonder al te veel discussie te vervullen.

Er klinken harde klappen, donder en bliksem. Bang ben ik niet meer. Ik hou ervan. Hoe harder, hoe beter. Felle bliksem met een snel opeenvolgende harde donderslag, dat is het fijnst. Donar op zijn best. De Noorse goden zijn overgekomen om te kijken hoe het gaat met hun halfgod.

Ik zit aan het voeteneinde, schuif het gordijn een stukje open en kijk naar de oplichtende hemel. Mads slaapt gewoon door. Deze vreemde, vertrouwde man. Hij ademt rustig. Alles is vredig.

Ik weet niet of ik het kan. Ik weet niet hoe ik het goed hou. Ik weet alleen dat liefde moeilijk, verdrietig en afwezig is. Liefde is waar ik niet ben. Ik ken de kou. Ik ken het alleen-zijn. Ik ken eenzaamheid, maar zal ik die ooit af kunnen leren? Zal ik kunnen wennen aan warmte, liefde, samenzijn? Ik heb het bij dieren gezien; hoe een geslagen hond wegduikt als hij wordt geaaid, net als Sammie, die bang is om op het bed te liggen. Ik kan hem niet uitleggen dat het fijn is om op bed te liggen, dat het goed is en veilig. Hij zal er langzaam aan moeten wennen. Kun je het een mens wel uitleggen? Moet een mens er ook niet aan wennen? Hoe vaak zal Mads mij op bed moeten zetten en zeggen dat het goed is? Hoe lang houdt hij dat vol? Mijn paniek zal de kop op blijven steken. En ik weet niet wat ik zal doen als dat gebeurt. Het is sterker dan mezelf. Nu heb ik het in de hand, maar er zal een moment komen dat ik vergeet erover na te denken. Ik balanceer over een koord en er komt een dag dat ik uit bed stap en denk dat ik vaste grond onder mijn voeten heb, dan zal ik vallen. Mijn paniek zal het overnemen, de alarmbellen zullen afgaan in mijn hoofd, zo hard dat ik niets anders meer hoor.

Bliksem en een donderende klap. Donar maakt zich kwaad om mijn muizenissen. Ik kruip weer in bed. Ik duw even mijn neus in Mads' hals en snuif zijn zoete, kruidige muskusgeur op. Ik aai hem over zijn zachte haar en al slapend slaat hij zijn arm om me heen en trekt me tegen zich aan. Ik sluit mijn ogen en laat me in slaap wiegen.

29

THE MORNING AFTER

De bel gaat en tegelijkertijd komt er ook een sms binnen. Een fractie van een seconde vraag ik me af waar ik ben. Dan kijk ik Mads aan, die langzaam zijn ogen opent.

'Goedemorgen, schoonheid.'

Dat lijkt me wat overdreven op dit uur van de dag, maar het is lief bedoeld. Half slapend tast ik naar mijn mobieltje op het nachtkastje.

Is je poort van jade nog intact? ☺

Dat is een fijn bericht om de dag mee te beginnen, Janine. Altijd fijn en subtiel. Het zal me niets verbazen als ze al op het balkon zit te wachten voor de uitslag, duim omhoog of duim naar beneden.

De bel gaat weer en ik hoor een scherp 'joeeehoeee'. Tinke. Ik ben vergeten haar een sms terug te sturen. Wie zwijgt stemt toe. Waarschijnlijk denkt ze dat ik meega naar de workshop.

'Volgens mij wordt er gebeld.' Mads aait me over mijn rug.

Ik stap uit bed en kijk over de rand van het balkon.

'Ik wist wel dat je thuis was. Het is nog vroeg natuurlijk,' kwinkeleert Tinke naar boven.

'Ik kom eraan,' zeg ik met een stem die nog op gang moet komen.

Ik draai me om.

'Er staat een vriendin van me voor de deur. Wat doe je? Verstop je je onder de lakens of wil je kennismaken? Het mag allebei.'

'Ik ga wel even douchen.'

Ik trek mijn badjas aan en laat Tinke binnen. Al rebbelend komt ze de trap op.

'Ik hoorde maar niets van je, dus vroeg ik me af of je wel heelhuids uit Costa Rica was teruggekomen. Heb je geen jetlag? Ga je mee naar De Roos? Het is de workshop "Fier vrouw zijn, voor vrouwen die zich willen verdiepen in hun vrouwelijke kwaliteiten". Het is echt een heel fijne workshop. Ik heb hem een tijdje terug al eens gedaan.'

Ze komt binnen en geeft me twee klinkende zoenen op mijn wangen. 'Dag lieverd. Wat zie je er stralend uit, zo met je haar achterstevoren op je hoofd.' Ze begint te gieren van het lachen. 'Kijk nou toch! Wie hebben we daar?'

Ze loopt op Sammie af en neemt hem in haar armen. 'Wat een lekker drolletje ben jij, zeg.' Sammie laat zich gewillig knuffelen en zal de rest van de dag waarschijnlijk naar Mitsouko ruiken. Met Sammie op haar arm draait Tinke zich om. 'Heb je het fijn gehad?'

'Ik heb het heerlijk gehad.'

'Kom je onder de douche vandaan? Ik hoor water lopen.'

'Nee, ik... eh... ik heb bezoek.'

'Bezoek?' Haar ogen worden groot. 'Mannelijk bezoek? Heb je iemand meegenomen uit Costa Rica?'

'Nee, natuurlijk niet. Ik heb iemand ontmoet,' zeg ik zacht, op een toon die duidelijk moet maken dat ik het er liever niet over heb. Het is te pril en vriendinnen kunnen de boel ongewild in de war schoppen met te veel vragen en te veel enthousiasme, waardoor iedereen opeens veel te hard van stapel loopt, behalve de man in kwestie.

'Ooo, ik begrijp het al. Jij hebt die workshop helemaal niet nodig.'

Ze begint aanstekelijk te giechelen.

De badkamerdeur gaat open en Mads staat in de deuropening. Hij heeft Diederiks zwarte badjas aangetrokken. Hij steekt zijn hand uit en glimlacht verlegen.

'Hallo. Mads.'

'Dag, ik ben Tinke,' zegt Tinke gedecideerd en ze kijkt hem onderzoekend aan. Dat heb ik echt nodig nu, een vriendin die mijn nieuwe minnaar van één nacht keurt.

'Zal ik even koffiezetten? Of moet je meteen weg?' hint ik.

'De workshop begint om tien uur, maar ik lust wel een bakkie. Het is hier vijf minuten vandaan, dus ik ben er zo. Jammer dat je niet meegaat, maar ik begrijp het wel.'

Vanuit mijn ooghoeken zie ik hoe ze naar Mads knipoogt.

'Ik ga me even aankleden,' verontschuldigt hij zich.

'Heel fijn,' fluistert Tinke in mijn oor. 'Het is een fijne man. Je vertelt me een andere keer maar de details.'

Ik knik en lach en zet koffie.

Tinke graait in haar tas en zegt: 'Ik heb koekjes meegenomen voor de dames in De Roos, maar die kunnen we net zo goed nu opeten. Zelfgebakken amandelkrullen.'

'Heerlijk.'

Ze kijkt om zich heen.

'Er hangt een goede sfeer hier. Het is alleen wel een beetje kaal, hè? Maar vertel, hoe was Costa Rica? Is het fotograferen goed gegaan?'

'Het was fantastisch. Als je wilt, kun je de foto's op mijn laptop bekijken.'

Mads komt aangekleed aangelopen.

'Zal ik ze even laten zien?' biedt hij aan. Samen bekijken ze de foto's. Mads vertelt wat er te zien is op de dia's en Tinke luistert aandachtig, wat bijzonder is in haar geval. Er zijn maar weinig mensen naar wie ze het de moeite waard vindt om te luisteren.

De rust is weergekeerd. Tinke heeft me voordat ze vertrok innig omhelsd en nog even hard in mijn armen geknepen om te laten merken dat ze blij voor me is.

'Bijzondere vrouw,' zegt Mads.

'Ja, dat is ze zeker.'

'Lekkere amandelkrullen ook,' smakt hij en hij steekt er nog een in zijn mond.

Hij trekt me bij zich op schoot. 'Wat zullen we doen vandaag? Ik heb vakantie.'

'Tot wanneer blijf je?'

'Tot wanneer jij wilt.'

'En je wereldticket dan?'

'Dat staat *on hold*. Als ik het ergens fijn vind, dan blijf ik. En ik vind het fijn hier.' Hij geeft me een zoen.

Ik veeg wat kruimels van zijn wang. 'Zullen we naar de duinen rijden?' stel ik voor. 'Ik ben dol op de duinen.'

'Goed idee. Ik ben ook dol op de duinen en ik ken een goede sluiproute. Het is sowieso beter om wat later te vertrekken, anders staan we maar in de file.' Hij kijkt in mijn badjas naar mijn linkerborst en grijnst.

30

EN ZE LEEFDEN NOG LANG EN GELUKKIG

Elke dag ben ik bang dat ik hem opeens een vervelende klier zal vinden. Elke dag verwacht ik een 'hè, get' in zijn ogen te zien. Elke dag verwacht ik dat ik me eenzaam zal voelen of geïrriteerd. Maar niks van dat alles gebeurt. Vanaf het moment dat we bij elkaar zijn, voelen we ons gelukkig in elkaars gezelschap. Op ons gemak en ontspannen. Als ik bij hem ben, ontbreekt het ongedurige en het ongemakkelijke dat ik altijd bij andere mannen heb gevoeld. Mads is mannelijk en stoer maar heeft er geen moeite mee zijn gevoelige kant te tonen. Ik voel me altijd mooi als hij naar me kijkt, altijd met een glimlach. Altijd zie ik dat zachte geluk op zijn gezicht. Ik kan mijn liefde als een warme bal in mijn lichaam verplaatsen, alsof het een object is. Na de vijandigheid waarmee ik zoveel jaar heb geleefd in mijn huwelijk met Marc, is het weldadig om met iemand te leven die in zoveel opzichten op me lijkt. Het is alsof ik mijn hele leven eenzaam ben geweest en voor het eerst niet alleen ben.

We lachen. We rijden dagenlang over de snelweg om muziek te luisteren in de auto om met alles mee te zingen. Als hij begint met een liedje maak ik het af en andersom. Als ik iets denk, zegt hij het en andersom. Als ik alleen thuis ben en aan hem denk, komt er een sms binnen en andersom. Het is alsof we met duizenden draden verbonden zijn en al die draden staan onder hoogspanning. Er zijn geen vragen, ik hoef niets te vragen, niets te weten. We hebben het alleen over nu. Wat er nu gebeurt; over hoe mooi de zon schijnt. Het is altijd mooi weer, elke dag weer. We genieten. Van de zomer. Van elkaar. En we lachen, maar dat zei ik al.

We hebben dezelfde kijk op de wereld en op het leven. We hebben dezelfde passies; muziek, de natuur, film, eten, en we raken er niet over uitgepraat. We spelen muziekspelletjes, ik zeg een zin en hij raadt uit welk liedje die afkomstig is. We lachen ons de tranen in de ogen na het zien van de sneezing panda op YouTube. We wandelen door de stad, drinken bier op het terras en tijdens het eten houden we elkaars hand vast. We raken elkaar voortdurend aan. We denken er niet bij na, het gaat vanzelf. We zijn vrijwel voortdurend samen en nooit geeft het aanleiding tot irritatie. We begrijpen elkaar zonder al te veel woorden, die zijn er alleen om de stilte op te vullen, middelen tot vrolijkheid.

Ik loop de hele dag met een regiment vlinders in mijn maag. We zijn beiden verbaasd over deze liefde. Deze *body, mind and spirit*-liefde, zoals Mads het noemt. We houden de wereld buiten. We weten niet veel van elkaar en vragen er ook niet naar. We leven zoals we nu zijn, zonder de mist van het verleden. Ik ben op mijn gelukkigst wanneer ik bij hem ben. Ik ben vervuld van deze liefde. Ik voel me geborgen en voor het eerst intens geliefd. De liefde maakt ook de seks fantastisch. Hij is balsem voor mijn ziel. We vrijen urenlang onafgebroken, onze lichamen begrijpen elkaar. Intens-gelukkigmakende-stressloze-egoloze-volledig-in-het-gevoel-het-verstand-doet-niet-mee-seks. We vrijen vanuit ontspanning en om elkaar te beminnen in plaats van te vrijen om vrede te vinden of te bewaren. Seks zoals ik het gewend was, als dank voor bewezen diensten of om gunstig te stemmen voor nog te bewijzen diensten, een ruilhandel, daar is nu geen sprake meer van. Nu doe ik het vanwege een onstuitbaar verlangen. We vrijen om de vrede te vieren. Ik ben moe van geluk, want het is zo fijn. Het is bijna niet te harden, zo fijn. Ik wist dat het bestond. Ik heb erover gelezen, er zijn films over gemaakt, ik heb erover horen praten, dus ik wist dat het bestond. En nu maak ik het zelf mee. Ik heb zo lang zonder moeten doen, ik ben bang dat ik nooit meer zonder kan.

En ze leefden nog lang en gelukkig.

Lang en gelukkig leven.

Tja. Hoe doe je dat?

Zal ik nog een postorder de lucht in sturen? En nu nog lang en gelukkig leven. Maar als je dat niet kunt geloven, dan neemt het postorderbedrijf de wens niet in productie. Zo werkt dat met *The Secret.* Dus als je rondloopt met twijfels en angsten die allemaal gegenereerd worden door deze fantastisch mooie, grote liefde dan krijg je dat allemaal op je bordje. Dan kun je wel roepen: 'Maar zo heb ik het niet bedoeld', maar dat krijg je gewoon terug: 'Wij ook niet,' roepen ze dan over de rand van het postorderbedrijf.

Waar ik soms bang voor ben, is voor mijn eigen mechanisme, mijn sabotagemechanisme. *Break it before it gets broken.* De angst om iemand te verliezen kan rare dingen met een mens doen. Onbewust. We zijn maar voor tien procent bewust en voor de rest onbewust. Lekker is dat. Het is hetzelfde als met hoogtevrees van een gigantische hoogte naar beneden te springen om diezelfde angst kwijt te raken. Hoe leer ik leven met mijn angst? Het gevaar om hem te verliezen is dagelijks aanwezig. Wat er ook gebeurt, op een dag zal ik hem verliezen al is het maar doordat ik doodga. Het is een realiteit waar ik mee moet leren leven. Anders is het geen doen. Ik wil hem niet in een wurggreep houden. Hoeveel zekerheid heb ik nodig? Te veel. Te veel om het leuk te houden in elk geval. Loslaten, leren loslaten in de liefde. Hoe doe je dat in godsnaam als je alleen maar hartstochtelijk graag bij iemand wilt zijn?

Ik heb als kind een marmotje doodgedrukt uit liefde. Daar ben ik nu ook bang voor. Dat ik hem dood zal drukken.

31

501 MUST VISIT ISLANDS

'Zal ik even verse croissantjes halen?'

Mads staat al aangekleed naast het bed.

'Ja, lekker.'

Met zijn bedachtzame tred loopt hij de kamer uit. Ik ga rechtop in bed zitten. Ik heb het niet gemerkt toen hij op is gestaan. Meestal worden we ineengestrengeld wakker. Ik wrijf met twee handen in mijn gezicht. We zijn gisteravond naar een film geweest in het filmmuseum, *Una giornata particolare.* Mads had hem nog nooit gezien. Voor mij was het intussen de vijfde keer. Daarna hebben we nog wat gedronken op een terras. Het werd weer laat, al drie wittebroodsweken lang wordt het elke avond laat.

Ik ga douchen en terwijl ik mijn haar föhn, hoor ik hem zingend binnenkomen. Ik hoor hem rommelen in de keuken.

'Wil je koffie?'

'Ja, lekker.'

Ik trek mijn badjas aan en loop de kamer in. Op tafel ligt een boekje, 501 MUST VISIT ISLANDS.

501 Must visit Islands? Mijn hart slaat over en stopt. Bevriest. Goed, dat was het dus. Het was een zalig moment in de eeuwigheid en nu is het voorbij. Het wereldticket brandt in zijn broekzak. Hoe heb ik kunnen denken dat het zo zou blijven? Ik ben naïef, ik geloof in sprookjes, maar sprookjes bestaan niet. En sprookjesprinsen ook niet. Ook al drong de vergelijking met Prins Valiant zich nog zo hardnekkig aan me op. Halfgoden kom je niet tegen in Amsterdam-Zuid. Ik dacht dat we iets speciaals hadden, maar het enige speciale was zijn vermogen om mij te laten denken dat ik speciaal was.

Ik hoor niets meer, ik zie niets meer. Ik zit opgesloten in een hoofd dat me vertelt dat deze man me gaat verlaten. En ik kan het hem niet kwalijk nemen. Ik kan niet eens gillen of schreeuwen. We hebben elkaar niets beloofd. Ik dacht alleen dat er iets bijzonders aan de hand was dat we zo min mogelijk moesten bespreken, om in het nu te blijven. Om het leven niet met achterdocht, wantrouwen en berekening, maar met open vizier tegemoet te treden. Om het leven aan het leven over te laten en te geloven dat het dan goed komt. Om me er niet mee te bemoeien, want dan was het zeker misgegaan. Elke gedachte aan de toekomst zou de liefde kapotmaken. Maar het maakt niets uit, het leven gaat toch zijn eigen gang en ik hobbel erachteraan. Ik sla dicht en ondanks het feit dat ik weet dat ik dichtsla, kan ik er niets aan doen. Ik krijg de deur niet meer open uit angst voor verlies, een ondraaglijk verlies. Ik wil bij deze man blijven. Ik wil niet meer alleen zijn. Ik wil bij hem zijn. Ik wil me oprollen in zijn navel en als een kangoeroejong met hem meegaan, waar hij maar wil, zonder dat hij last van me heeft. Ik mag dit dan wel denken, ik zeg het niet. Niet omdat ik niet wil, maar omdat het niet gaat. Het deel van mijn hersens dat zorgt voor de communicatie, is bevroren. Het bevindt zich in een staat van katatonie. Ik sta erbij en ik kijk ernaar.

501 Must visit Islands. Als je er elke dag één bezoekt, ben je bijna twee jaar onderweg. Allicht is het ergens onverwachts buitengewoon fraai en aangenaam, dan blijf je es een paar dagen hangen, dan zit je zo aan de drie jaar. Drie jaar. Drie jaar tussen duizenden, zongebruinde, prachtige, jonge vrouwen in bikini. Dat snap ik. Wie ben ik om hem tegen te houden? Om hem voor de voeten te werpen dat wat wij hebben zo bijzonder is dat hij dat niet in de steek moet laten. Wie ben ik om te denken dat ik zijn zaligmakende toekomst ben? Liefde betekent dat je het beste voor de ander wilt. En wie zegt dat ik dat kan? En als klap op de vuurpijl kan ik niet eens garanderen dat ik altijd zo leuk blijf als nu. Een eiland, daar kun je op bouwen, dat verliest zijn schoonheid niet. Ik wel. Er komt een dag dat ik een *bad hair day* heb en dan lonkt zo'n eiland. Voor het eerst van mijn leven is mijn rivale een eiland. De aarde is mijn rivaal. Ik weet hoe mooi de aarde is, daar win ik het niet van.

Ik heb iTunes aanstaan. Mads staat in de keuken en zingt mee met *I'm working on a dream* van Bruce Springsteen. Hij heeft de afspeellijst die ik voor hem heb gemaakt, opgezet. Die begint met dit nummer. Ik sta bij de tafel en blader even in het boek; Bora Bora, the Scottish Isle of Skye. Dat is lekker in de buurt, dat gaat nog. Ik zou kunnen voorstellen om samen naar Schiermonnikoog te gaan, dat is ook een eiland, een heel mooi eiland. Maar ja, dat heeft hij natuurlijk al gezien. Hij is waarschijnlijk al op zijn vijftiende gaan tienertoeren, en heeft eilandhopping ontdekt toen hij voet aan wal zette op Texel, waar nog vier eilanden naast liggen te lonken. Na Schiermonnikoog wist hij natuurlijk van het bestaan van nog een paar eilanden in het zuiden van het land af en dus, hup, die trein weer in. Binnen een paar uur heb je dan heel Nederland doorkruist en nog diezelfde dag kwam hij aan op Goeree-Overflakkee om de Zeeuwse eilanden aan te doen. Niet zo fraai als de Noorse fjorden, maar toch niet slecht. Voor het eerst dronken in Renesse. Tijdens die tienertoer in het jaar dat hij zijn ouders heeft verloren, is zijn liefde voor de eilanden natuurlijk ontwaakt. Zo zal het zijn gegaan. Hij ontdekte de troost die een eiland te bieden heeft. *I am a rock, I am an island. And a rock feels no pain and an island never cries.* Ik snap het. Ik hou ook van eilanden, maar zijn liefde voor eilanden en de wereld is zoveel groter dan zijn liefde voor mij. Die liefde bestaat al zoveel langer, die liefde heeft veel meer te bieden. Ik ben leuk, maar er zijn nadelen. En een eiland kun je gemakkelijk inwisselen als het niet bevalt; hop, we stappen op een boot en we gaan verder kijken. Het gras is overal groener, tot hij de hele wereld gezien heeft. En zal hij dan nog van me houden? Als hij al van me houdt, natuurlijk. Misschien heb ik me vergist en is hij een gewiekste casanova. Hij is natuurlijk helemaal niet verlegen, dat zegt hij alleen maar omdat hij weet dat het dé manier is om een vrouwenhart te laten smelten. Wat heb ik hem nou te bieden? Ik heb geen turkooizen zee in de aanbieding noch hagelwitte stranden in mijn handtas. Ik heb alleen mezelf, maar mijn grilligheid moet het afleggen tegen de constante, betoverende schoonheid van de wereld. Om nog maar niet te spreken van al die duizenden bruingebrande, vrolijke vrouwen in bikini. Allemaal blij op vakantie, of blij omdat ze in Vanuatu wonen. Ik voel me met de minuut nietiger worden. De vermanende stem van mijn moeder klinkt in mijn hoofd. Ook hoor ik de stem van mijn vader, hij trok me soms op schoot en fluisterde zachtjes in mijn oor: 'Je moet nooit trouwen, het huwelijk is een gevangenis. Trouwen is rouwen.' Als kind vroeg ik niet waarom hij dat zei. Mijn vader vroeg om troost als hij me op schoot trok, dat voelde ik. En dus sloeg ik mijn armen om hem heen en maakte ik hem aan het lachen. Het huwelijk is een gevangenis. Soms denk ik weleens dat ik als kind een hekel had aan mijn moeder, omdat mijn vader het huwelijk als een gevangenis beschouwde. Daar gaf ik mijn moeder de schuld van. Intussen begrijp ik dat het ook zijn schuld was. De gevangenis zit in je hoofd. Je bent je eigen gevangenis en je eigen beperkingen en conditioneringen vormen de tralies. Dezelfde tralies waar ik nu met een donderende klap tegen aanloop.

Het komt niet in me op om te vragen: 'Maar zou ik niet mee kunnen gaan?' Hij ziet me aankomen. De vrijbuiter wil eiland- en vrouwenhoppen. Het komt niet in me op om te vragen: 'Zal ik de 501 eilanden in beeld gaan brengen? Zullen we samen zo'n boekje maken? We stellen scherp vanuit een ander perspectief en hoppeta, we hebben ook een boekje. Jij vertelt er iets biologisch bij. Zullen we samen op reis gaan en er iets moois van maken?'

De mogelijkheden zijn op slag opgedroogd en ik zie alleen nog problemen. De enige stem die ik nog hoor is van mijn moeder: *Niemand wil met je trouwen, want je bent niet lief. Niemand houdt het bij jou uit, want je bent niet lief.* En al protesteer ik nog zo hard, dit is de waarheid die ik ben gaan geloven. Het is een waarheid waar ik geen controle over heb en die diep in me verankerd ligt. Dit is de enige echte waarheid over mezelf. Niemand houdt het met me uit. Waarom zou ik hem dat aandoen? Ik zal een blok aan zijn been zijn. Ik word vast getroffen door malaria of knokkelkoorts, dat zul je altijd zien. Ik word wagen-, lucht- en zeeziek en hij zal me lastig gaan vinden. En van pure stress zal mijn zin in seks verdwijnen, daar is geen liefde tegen bestand.

Door me op het nu te concentreren heb ik mezelf volledig laten gaan in mijn liefde voor hem en ben ik zonder reserve oneindig veel van hem gaan houden, sans souci. Nu blijkt dat des te meer ik van hem hou des te moeilijker het is om te geloven dat hij bij me wil blijven. Nog harder klinkt de stem van mijn moeder. Deze man vindt me lief, maar hoe lang kan ik hem voor de gek houden? Hoe lang zal het duren voor hij ziet wie ik echt ben: een kolkend vat vol tegenstrijdigheden, winterdepressief, hoogsensitief, niet lief.

‘Ik heb versgeperst sinaasappelsap gekocht. Wil je ook?’ vraagt Mads vanuit de keuken. Ik sla het eilandenboekje dicht.

‘Graag. Ja, lekker.’

Ik loop de slaapkamer in en trek de gordijnen open. Het is alweer een stralende dag. Op straat liggen nog wat plasjes water van de regenbui van vannacht. Sammie ligt uitgestrekt op bed. Als ik glimlachend naar hem kijk, rolt hij zich op zijn rug en strekt hij zich uit met zijn pootjes in mijn richting alsof hij me in zijn armen wil nemen. Sinds een paar dagen slaapt hij op bed. Op een ochtend werd ik wakker en lag hij naast me op het kussen te slapen. Hij voelde zich eindelijk veilig. Ik buig me voorover en druk mijn gezicht tegen zijn warme buikje. Ik voel de vibratie van zijn gespin.

Als ik me opricht drukt hij zijn pootjes dauwtrappend in mijn gezicht.

‘Hé, lekker binkie van me.’

‘Heb je het tegen mij of heb ik een rivaal?’

Mads staat met een dienblad in de deuropening en lacht zijn stralende lach.

‘Voilà. Jus d’orange, koffie en croissants met echte boter, frambozenjam en een krant, een vijfsterrenontbijt voor mevrouw.’

Hij zet het dienblad op bed en geeft me een zoen.

‘En nogmaals een heel goede morgen.’

‘Wat een verwennerij,’ zeg ik, maar ondertussen snap ik al wat er aan de hand is, hij wil het er zacht inmasseren. Het wordt een ‘het ligt niet aan jou, het ligt aan mij’-verhaal.

Ik glimlach en neem een hap van mijn croissant.

‘Zullen we naar het strand rijden vanmiddag? Dan kunnen we een beetje uitwaaien in de duinen.’

Hè, ja, laten we naar het strand gaan. Wat een goed idee. Waarom neemt hij niet meteen het vliegtuig naar Tonga of Tuvalu, waar het leven zoveel mooier is dan hier.

Ik zit in een *loop*. En zie daar maar eens uit te komen zonder professionele hulp.

‘Goed idee,’ mompel ik. ‘Ik heb nog wel veel werk te doen. Ik moet morgen de beelden van de reportage die ik van de week heb gemaakt, inleveren bij de redactie.’

Ik ben bij de vaste freelancers van *Easy Living* ingelijfd. Een paar dagen geleden heb ik het fabelachtige interieur van een bekende woonstyliste gefotografeerd. Janine verzorgde de tekst.

'Morgen? Maar dan is het zondag. Is maandag niet ruim op tijd?'

Ik haal mijn schouders op. 'Ze wilden het zo snel mogelijk hebben, dus ik kan er beter vandaag alvast aan beginnen, misschien krijg ik het niet in één dag af.'

'Oké. Ga jij maar lekker aan de slag vandaag.'

Hij zoent me op mijn schouder.

Ik smeer wat roomboter op mijn croissant met een flinke lik frambozenjam.

'Wat ben je stil? Is er iets?' vraagt Mads.

'Nee hoor, ik ben niet stil. Er is niets. Ik ben aan het genieten,' lieg ik dat ik barst. Ik weet niet waarom ik niet vertel wat ik werkelijk denk. Waarom ik niet gewoon vraag waarom hij dat boek heeft gekocht en wat de afgelopen tijd heeft betekend. Maar ik wil niet zeuren. Marc vond me altijd een zeikwijf als ik ergens naar vroeg. Ik wil geen zeikwijf zijn. Ik wil niet uitkomen voor mijn, ongetwijfeld kinderlijke, idee dat ik dacht dat er iets bijzonders was gebeurd en dat ik heel kinderlijk heb gedacht dat het wederzijds was. Dat ik heb geloofd in de bliksemschicht die me heeft geraakt en in de ontmoeting met mijn wederhelft. Dat alles de laatste paar weken op zijn plek is gevallen. Maar er valt helemaal niks op zijn plek. Deze man wil verder vliegen. Hij is een trekvogel die een tussenstop heeft gemaakt, en ik ben zo dom geweest mezelf te verliezen in de gedachte dat het liefde was. Ik kan mezelf wel voor mijn kop slaan. Domme gans die ik ben. Ik heb de fout gemaakt te denken dat het leven iets bijzonders voor me in petto had. Ik dacht dat mijn leven gelukt was. Ik heb stappen gezet, risico's genomen, wat aanvragen de lucht in gestuurd en warempel, het leven deed mee. Maar het leven doet niet mee, ik heb het allemaal zelf bedacht. Ik heb het allemaal bij elkaar gefantaseerd. Voor het eerst van mijn leven heb ik mezelf de ruimte gegeven te geloven in mijn eigen droom. Het was heerlijk maar de 501 eilanden zijn realiteit.

32

DID YOU ORDER THE CODE RED? YOU'RE GODDAMN RIGHT I DID!

Mads springt op en loopt de kamer uit. Ik hoor hoe hij de muziek harder zet en meezingt met de magistrale Rufus Wainwright.

And again I'm afraid of one thing, will I walk away from love knowing nothing, wearing my heart between my legs.

Ja, dat weet ik ook niet, joh, dat moet je aan Rufus vragen, misschien weet hij het, denk ik grimmig. Ik pak de krant en blader hem door zonder echt te lezen. Ik drink mijn koffie, eet mijn croissant en verdiep me in een artikel van filosoof Bas Haring over wat wijsheid is, waar ik in mijn huidige gemoedstoestand niet veel wijzer van word. Het volgende nummer van de afspeellijst begint. *This is the first day of my life* van Bright Eyes. Mads valt stil. Ja, daar kan ik me iets bij voorstellen. De eerste dag van je nieuwe leven is een overpeinzing waard. Op de muziek na is het stil in de woonkamer. Is hij er soms al vandoor? Ik laat me voor de helft uit bed zakken en loop op mijn handen, terwijl mijn benen nog in bed liggen, een stukje in de richting van de deuropening. Zo kan ik om de deurpost ter hoogte van de drempel de woonkamer in kijken. Dat dacht ik al, hij zit het boekje te lezen. Ik kruip weer terug in bed. En drink mijn koffie.

Ik hoor dat de muziek zacht wordt gezet. Mads komt de slaapkamer binnenlopen met dezelfde behoedzame tred als destijds in de wasserette. Hij is in gedachten verzonken. Hij loopt door de kamer en tuurt een tijdje naar buiten. Hij weet de spanning wel op te voeren. Hij is zijn roeping als suspenseregisseur misgelopen. Zeg het nou maar gewoon. Vertel over die eilanden en over de sirenen die daar zijn en hoe die hem roepen. Hij kan er niets aan doen. *It's beyond his control.* Je kunt toch wattenbolletjes in je oren stoppen, sputter je tegen. Nee, zucht de gekwelde man, dat helpt niet. Dat zou jij met een snurkende ex toch moeten weten. Odysseus liet zich aan de mast ketenen om zich niet te laten verleiden door die sirenen. Zo mooi zingen ze. Het gaat door merg en been, daar is geen kruid tegen gewassen. En zie jij hier een mast? Potverdrie, had ik nou maar net als Tinke een pole tease aangeschaft. Dan had ik hem daar mooi aan vast kunnen binden. Er is niks aan te doen. Ik zet me schrap en breng mijn hersens in staat van paraatheid. De hoogste staat van alarm wordt afgeroepen. *Ripley, ten seconds to countdown before leaving the ship.* Alles wordt in gereedheid gebracht. Kogelvrije vesten worden aangetrokken. Er wordt ondergedoken in bunkers van roestvrij staal.

Ik volg zijn bewegingen, terwijl ik doe alsof ik verdiept ben in de krant. Hij draait zich om en haalt een paar keer nerveus zijn hand door zijn blonde haren en wrijft over zijn kin. Dan komt hij naast me op bed zitten. Mijn hart klopt in mijn keel. Hij gaat er echt voor zitten. Dat is dan wel weer bewonderenswaardig. Het is in elk geval beter dan wanneer hij een briefje zou achterlaten met de tekst BEN ZO TERUG om vervolgens nooit meer iets van zich te laten horen. Het getuigt in elk geval van ruggengraat. Hij kijkt me ernstig aan. Ik zie een frons op zijn gezicht die ik nog nooit eerder heb gezien. Ik word koud vanbinnen.

Hij zucht en kijkt me aan. Hij opent zijn mond en sluit hem weer. Een nerveuze glimlach speelt om zijn lippen. Hij neemt mijn hand in de zijne en aait erover met zijn duim.

'Isabelle, ik moet je iets zeggen,' begint hij. Zijn stem klinkt zacht en serieus.

Ik voel hoe mijn hartslag verdubbelt. Ik begin te trillen.

'Wat is er?' vraagt hij.

'Niets,' zeg ik met een raspende stem. 'Ik voel me niet zo lekker, denk ik. Ik ben een beetje misselijk, geloof ik.'

De problemen in mijn hoofd vermenigvuldigen zich. Ik zit nog steeds in een *loop*. Ik had het hoge woord er meteen uit moeten gooien. Nu is het moment weg. In plaats van te zeggen dat ik een beetje misselijk was, had ik moeten vragen: 'Ga je bij me weg? Lonkt de natuur? Hoor je de sirenen zingen? Ben jij Odysseus en ben ik Penelope en moet ik jaren op je wachten?' Wat ik waarschijnlijk zou doen. Als hij het zou vragen. Maar dat zal hij wel niet vragen. Hij zal wel iets zeggen met de strekking dat hij me dat niet wil aandoen. *Killing me softly.* Hij zal wel iets zeggen in de trant van: 'Blijf jezelf trouw dan zal de liefde je weer vinden,' of een andere softe uitspraak uit een vrouwenblad dat hij toevallig een keer heeft gelezen tijdens een bezoek aan de wc, en waarvan hij denkt dat ik er iets aan heb.

'Isabelle, ik zat net iets te lezen, en ik dacht... het zit namelijk zo...' Hij aait nog steeds met zijn duim over mijn hand. Zijn ogen schieten heen en weer. Ik heb hem nog nooit zo nerveus gezien. De man is altijd een oase van rust, maar nu breekt het zweet hem uit. Mijn ogen gaan wijd open staan. Man, zeg het nou gewoon, denk ik. Hup, dumpen die hap. Dan ben je ervan af. Niet zo schutteren, dat is nergens voor nodig. Ik zal er niet aan doodgaan. Je wilt weg, je bent het zat, het is leuk geweest. *It was nice but now it's gone.* Zo moeilijk is dat toch niet? Ik hou mijn adem in. Mads pakt mijn hand steviger vast en kijkt me aan.

'Ik las net op internet dat onderzoek van Harvard heeft uitgewezen dat getrouwde mensen langer leven en gelukkiger zijn,' zegt hij.

Hè hè, was dat nou zo moeilijk? Het is eruit. Ik heb hem door. Ik moet iemand gaan zoeken met wie ik gelukkig kan worden, hij is niet de ware, hij is een vrijbuiter, niet het trouwlustige type. Dat begrijp ik toch.

'Is dat zo? Dat kan ik me nauwelijks voorstellen. Het huwelijk is een gevangenis, trouwen is rouwen,' zeg ik koeltjes en ik blader verder in de krant.

Met een klein, heel klein deel van mijn hersens neem ik waar dat er een schokje door hem heen gaat. Een minuscuul, nauwelijks waarneembaar schokje.

Hij trekt zijn hand terug en woelt weer door zijn haar. Verwarring op zijn gezicht.

'Je moet zo weg, ik moet aan het werk,' zeg ik opeens. Het klinkt onaardig, bits. Ik weet niet waarom. Het komt er zomaar uit. De woorden stonden toevallig klaar om afgeschoten te worden. De verkeersleiding van mijn hersens is ontregeld en datgene wat ik wil zeggen, komt er heel anders uit, als een acute aanval van het gilles-de-la-tourettesyndroom.

Mijn hoofd is een getrainde commando. *Did you order the code red? You're goddamn right I did!*

Ik kijk op de wekker.

'Het is al twaalf uur. Ik moet echt aan het werk.'

'Ja. Oké.' Hij gaat weer met zijn hand door zijn haar en wrijft in zijn gezicht. 'Ja, ik moest maar eens gaan douchen.'

Hij staat op en loopt de badkamer in.

Alles in me is koud. Ik vouw de krant dicht en stap uit bed. Ik trek de garderobekast open om wat kleren te pakken. Ik kleed me aan. Ik til Sammie van bed en hang het dekbed over het balkon zodat de boel even lekker kan luchten. Ik ben in één klap veranderd in mijn moeder: koud, afstandelijk, huishoudelijk.

Als Mads de badkamer uitkomt, is hij stil. Ik ga door met het opruimen van het huis. We gaan terug naar de realiteit, de wittebroodsweken zijn voorbij. *It's business as usual.* Romantiek? Je koopt er niks voor. Gekkigheid. Er moet gewerkt worden. Ik heb een baan, laat ik daar es aan denken. Dat is waar ook, zelfstandig worden, daar ging het om. Gelukkig worden, daar ging het om.

Mads kleedt zich zwijgend aan. Ik rommel in de keuken.

'Wil je nog koffie?' vraag ik, met een klank in mijn stem die ik ken van toen ik nog met Marc samen was. Ik vraag het, maar het interesseert me geen reet. Liever niet, want dan kan ik verder met afwassen en het opruimen van het huis. Dan kan ik door met wat er gedaan moet worden. Dan kan ik door met mijn toneelspel van onverschilligheid.

Mads loopt met natte haren de keuken in. Zijn gezicht staat strak.

'Dag,' zegt hij.

'Dag,' zeg ik. 'Het was fijn.'

Ik ga niet raar lopen doen met opmerkingen als: 'Wanneer zien we elkaar weer?' Laat die jongen toch, die moet je teruggeven aan de natuur. Wat heb je eraan? Zo'n jongen zonder toekomst, zonder inkomen, die leeft van de wind. Je hebt er niks aan. Zo'n jongen wil jou niet. En zo'n jongen moet je ook niet willen. De stem van mijn moeder heeft vrij spel. Mads zoent me kort op mijn mond en kijkt me nog even aan. Met een stalen blik in mijn ogen kijk ik terug. Weer voel ik een minuscuul schokje door zijn lichaam gaan. Ik ben koud tot op het bot. Ik zeg niets en kijk hem alleen maar aan, niet in staat iets te zeggen. Hij opent zijn mond

om iets te zeggen. Ik leg mijn vinger op zijn lippen.
'Laat maar,' zeg ik. 'Het is goed, ga maar.'
Voor de goede orde wrijf ik nog even over zijn rechterbovenarm.
'Nou, hoppekee, ik moet aan het werk.'
'Ja.' Hij draait zich om en doet de deur open. Ik loop achter hem aan en hou de deur vast en kijk hem na als hij afzakt in het trapgat. Hij kijkt naar beneden.
'We bellen later nog wel even, oké?' Ik probeer vrolijk te klinken. Alsof er niets aan de hand is.
'Ja,' zegt hij en hij loopt zonder om te kijken de trap af.

Iemand gebruiken om bevrediging en zekerheid te vinden is geen liefde.
Liefde is zekerheid.
Liefde is een toestand waarin het verlangen naar zekerheid niet bestaat.
Het is een kwetsbare toestand...

– J. Krishnamurti

33

IT WAS NICE BUT NOW IT'S GONE

Ik hoor de deur beneden dichtgaan. Ik loop de keuken weer in en ga verder met opruimen. Ontbijtbordjes afspoelen. Aanrecht schoon. Ik moet mezelf ervan weerhouden de keukenkastjes schoon te maken. Ik heb er ineens zin in. En het is niet eens dinsdag. Ik haal een swiffertje door de kamer. Hè, wat ben ik lekker aan het opruimen. De huisvrouw in mij is weer ontwaakt, ik ben weer op bekend terrein. De kattenbak moet ook hoognodig worden schoongemaakt. Wat koekt de boel toch lelijk aan als je daar te lang mee wacht. Jakkederrie toch. Ik klop het dekbed uit en verschoon het hoeslaken, waar ik door mijn actieve seksleven inderdaad opeens verdomd handig in ben geworden, en gooi het weer terug op bed. Het leven gaat door. *It was nice but now it's gone.*

Ik ga het hem niet moeilijk maken. Daar ben ik nu te oud voor. Wat een onzin zeg, dat ik me zo heb vergist. Ik ben een dom gansje, maar dat hoeft hij niet te weten. Ik zal afscheid nemen in stijl en hem veel plezier wensen op zijn reis. Stuur nog eens een mailtje, zal ik zeggen. En kom nog eens langs wanneer je in Amsterdam bent. Lossslaten, zo doe je dat.

Alles is lekker aan kant. En dus kan ik nu aan het werk. Ik loop de woonkamer binnen, pak mijn laptop van het dressoir en zet hem op tafel.

Het *501 Must visit Islands*-boek ligt er nog.

Hij zal het vergeten zijn. Hij zal straks wel langskomen om het te halen.

Ik klik de muziek uit en ga aan de slag. Ik maak een selectie van foto's die in aanmerking komen voor publicatie. Het huis dat ik heb gefotografeerd was schitterend en toen ik er was, werd ik overvallen door fantasieën om samen met Mads in zo'n huis te gaan wonen, om nooit meer een dag ongelukkig te zijn. Vrouwen en huizen, een onlosmakelijk verbond. Maar Mads wil natuurlijk geen huis, dat benauwt hem. Vliegen, trekken, eropuit, dat is wat hij wil. Opeens barst ik in snikken uit. Ik kan er niets aan doen. Ik kan er nog zo charmant mee proberen om te gaan, maar ik geloof niet dat het me lukt. 'Ach, ach,' zeg ik hardop tegen mezelf, 'dom, dom.' Ik heb me vergist. Het was slechts een avontuur, een pitstop. Door mijn tranen heen schiet ik in de lach om mijn eigen dommigheid. Hoe heb ik kunnen denken dat het leven een vlucht kon nemen, dat zoiets moois bij mij zou blijven? Ik heb het geslikt als zoetekoek, hongerig als ik was naar liefde en passie. Ik snap die mooie woorden en verhalen alleen niet, dat is toch nergens voor nodig? Hij had toch beter meteen kunnen zeggen dat hij op doorreis was en dat ik er dus niet te veel van moest verwachten. Is het dan zo fantastisch voor zijn ego om te zien hoe een vrouw als een blok voor hem valt? Mannen met grote ego's die een tekort aan eigenwaarde moeten compenseren, hebben dat nodig. Maar dit is een egoloze man. Daar heb ik intussen toch oog voor? Of is mijn blik dermate getroebleerd geweest dat ik het niet heb gezien, of niet heb willen zien? Omdat ik zo verliefd was en vooral zo ontzettend graag verliefd wilde zijn. Maar ik ben toch niet gek? Ik heb hem geen moment gewantrouwd en ik heb geen seconde getwijfeld aan zijn oprechtheid. Geheel tegen mijn gewoonte in heb ik geen seconde aan zijn oprechte liefde voor mij getwijfeld. Nou ja, tot vanmorgen dan.

Ik veeg mijn wangen droog en strek mijn rug en benen. Ik pak het boek en blader er weer wat doorheen. Ik moet toegeven, het is prachtig. Ik zou in zijn positie misschien hetzelfde doen. Het leven is kort. Ik concentreer me weer op mijn werk. Sammie springt op tafel en loopt voor me langs. Zijn staart strijkt langs mijn gezicht. Hij gaat naast de computer zitten en kijkt me aan. Hij knipoogt naar me. Ik knipoog terug. Hij doet twee ogen tegelijkertijd dicht en weer open, ik doe hetzelfde. Dan gaat hij liggen, geeuwt en rekt zich uit, waardoor hij bijna van tafel valt. Ik vang hem op en schuif hem terug op tafel.

Gedurende een paar uur verdiep ik me in mijn werk. Ik rek me uit. Ik heb een stijve nek en stijve schouders. Ik loop naar de traiteur en koop wat te eten: pasta, een salade en een portie tiramisu. Onderweg huur ik een dvd'tje, *Elegy*, een film over een man met bindingsangst. De film is prachtig. Ik vergaap me aan de schoonheid van Penélope Cruz en het mooie spel van Ben Kingsley. Na de film neem ik Sammie onder mijn arm en ga naar bed. Hij maakt het zich gemakkelijk op mijn kussen, zijn favoriete plekje. In de loop van de nacht zal hij zich om mijn hoofd vouwen. Mads maakte grapjes over het feit dat het leek alsof ik met een muts op in bed lag. Wat gek dat hij niet heeft gebeld. De afgelopen drie weken hebben we elkaar dagelijks gezien. Eén nacht zijn we niet bij elkaar geweest omdat ik elders in het land moest overnachten om een hotel te fotograferen, maar toen hebben we elkaar voortdurend sms'jes gestuurd. Mooie, uit liedjes afkomstige zinnen, als kleine liefdesverklaringen zoals *I go to sleep, sleep and imagine that you're there with me*, en hitsige berichtjes waarin we ons verheugden op wat we gingen doen als we weer bij elkaar waren. Ik check of ik mijn mobieltje misschien in de stille stand heb gezet en een berichtje heb gemist. Nee, niets. Onrustig val ik in slaap.

Het is al elf uur, ik heb lang doorgeslapen en voel me beroerd. Ik heb pijn in mijn buik. Nog steeds geen berichtje. Waarom hoor ik niets? Ik druk op de toets met het telefoontje, omdat ik weet dat ik hem als laatste heb gebeld, gistermorgen, met de vraag of hij behalve croissants ook een krant mee wilde nemen.

'Dit nummer is op dit moment niet bereikbaar.' Dit nummer is niet bereikbaar?

Hij kan toch niet nu al vertrokken zijn? Waar is hij naartoe? Waarom is hij zijn boek niet komen ophalen? Waarom heeft hij geen afscheid genomen? Had hij al een vlucht geboekt? En was dat wat hij gisteren wilde zeggen? Schat, sorry, ik heb tot het laatste moment gewacht om het te melden, maar vanmiddag om vijf uur vertrekt mijn vlucht. Ik ga de zon achterna. De zomer begint hier zo langzamerhand op zijn einde te lopen, dus het wordt hoog tijd. *All things must pass.* Ik heb het je niet eerder willen vertellen, ik wilde je geen pijn doen, ik dacht, ik wacht ermee tot vlak voordat ik wegga, dan is het pijnlijk, maar snel. Een vastgekoekte pleister moet je er immers ook met één snelle ruk af trekken, dat is het beste. Maar toen ik vanmorgen bij je op bed zat, kon ik het niet. Ik kon je hart niet breken, ik kon het gewoon niet en toen leek het me het beste om maar gewoon weg te gaan. Ik was bang dat ik het niet aan zou kunnen zien. Je bent heel lief, weet je? Ik heb het wel een paar keer gezegd de afgelopen weken, ik ben nog nooit zo'n lieve vrouw tegengekomen en daardoor vond ik het heel moeilijk om weg te gaan. Ik was ook bijna gebleven, dat heb ik even overwogen. Maar ja, laten we reëel zijn. Het zou op de lange termijn niet werken. Ik dacht, ik kan beter weggaan nu het nog leuk is, dan hebben we allebei een fijne herinnering aan een goede tijd en aan een mooie zomer. Dat is ook wat waard. Dat is heel veel waard, toch? Zoiets moet hij hebben gedacht.

Misschien ligt er wel een briefje in de bus waarin hij vertelt dat hij is weggegaan. Dat hij al een vlucht had geboekt, maar niet wist hoe hij het moest zeggen. Ik loop naar beneden. Mevrouw Groentebroer komt 'toevallig' de gang op wanneer ik langsloop, zoals ik haar wel vaker 'toevallig' tegenkom op weg naar buiten. Opvallend vaak wanneer ik in het gezelschap van Mads over de gang liep.

'Zouden jullie wat zachter kennen doen, het is zo gehorig hier op die trappen,' zei ze dan.

Bij de eerste ontmoeting met Mads nam ze hem van top tot teen op. 'Zoho, nou, jij heb niet achteraan gestaan toen de knappe koppies werden uitgedeeld,' merkte ze op. Ik zag hoe hij erdoor in verlegenheid werd gebracht en ik duwde hem voor me uit de trap af terwijl ik mevrouw Groentebroer uitlegde dat we haast hadden. 'We zijn al laat voor de film,' zei ik met een verontschuldigend gezicht, mijn handen op Mads' schouders.

'Alles goed, kind?' vraagt mevrouw Groentebroer.

'Ja, alles goed.'

'Weet je het zeker? Ik hoorde je zo huilen gisteren.'

Mijn volgende huis wordt een geïsoleerd nieuwbouwhuis.

'Het is die kerel zeker? Ik zag het meteen,' ratelt ze verder. 'Ik dacht gelijk, die neemt het ervan bij zo'n naïef, wereldvreemd meissie als jij. Ja, ik zeg het maar eerlijk, want zo ben ik, eerlijk. Ik zeg altijd gewoon waar het op staat. Ja, toch? Zo is het toch? Kind, ik zeg altijd maar zo, een goede buur is beter dan wat dan ook. Als je een koppie thee wilt en me het hele verhaal van haver tot gort wilt vertellen, de deur staat altijd wagenswijd voor je open, hoor, mop. En hoe is het met Sammie, die schat? O, het is zo'n schat. Daar heb je meer aan dan aan een kerel, toch? Ik begin er niet meer aan, aan kerels. Je hebt er niks an. Ja, een hoop werk heb je d'r an. Een hoop ellende heb je d'r van. Maar verder heb je d'r niks an. Ik begin er niet meer an, an mijn lijf geen polonaise, bij mijn is die küche voorgoed geschlossen!'

Gelaten hoor ik haar aan. Ik wil naar beneden, kijken of er misschien een briefje ligt. Ik begin in paniek te raken. Hij had toch wel gewoon afscheid kunnen nemen? Dit is toch geen stijl, hoe kan hij nou zomaar weggaan na de afgelopen weken? Na alles wat er is gebeurd, na alles wat er is gezegd? *This is as good as it gets,* had hij gemompeld toen hij op de rand van het bed uit zat te puffen na een vrijpartij een paar dagen geleden. Misschien bedoelde hij dat het daarna alleen nog maar bergafwaarts kon gaan. Ik leg ook altijd alles verkeerd uit. Je bent de liefste vrouw die ik ooit ben tegengekomen. Dat zei hij ook. Misschien vergat hij erbij te vertellen dat hij helemaal niet van lieve vrouwen houdt. Dat hij daar de kriebels van krijgt en dat hij ook helemaal geen kattenliefhebber is. Wat doet dat kreng op het bed? Wat zijn dat voor rare fratsen om een kat, die rondwandelt tussen zijn eigen drollen in de kattenbak, om zo'n smerig beest, op bed te laten slapen? Ik heb het allemaal verkeerd begrepen. Ik was een tussenstop. Een leuke vrouw, zoals er nog duizenden op de wereld rondlopen. Hoe kon ik denken dat ik iemands grote liefde zou zijn? Alleen omdat ik erom gevraagd had nadat ik me gek had laten maken door een dvd. Mijn droom kwam uit. En mijn nachtmerrie ook. Nachtmerries zijn ook dromen. En die heb ik natuurlijk met dezelfde snelheid het universum in getorpedeerd.

Mevrouw Groentebroer praat honderduit; over haar overleden katten, haar weggelopen mannen, over het weer en over de trap, die hoognodig schoongemaakt moet worden en het is mijn beurt. Ik ben duizelig en hou me vast aan de deurpost en knik op alles ja. Mijn maag tolt. Ik ben bang dat ik over haar heen zal sproeibraken als ik iets zeg.

'Kind, je ziet lijkwit, weet je zeker dat het goed gaat?'

Ik voel dat het klamme zweet op mijn voorhoofd staat.

'Ja, ik moet even naar buiten, even een frisse neus halen,' zeg ik met onvaste stem.

Met knikkende knieën loop ik langzaam de trap af, terwijl ik me met twee handen aan de armleuning vasthou. Hij is weg, hij is weggegaan, hij is weg. Hij is weggegaan zonder afscheid te nemen. Hij had toch op zijn minst afscheid kunnen nemen? Ik was heus niet aan zijn enkels gaan hangen. Ik begreep juist zo goed dat hij weg wilde. Echte liefde is loslaten, toch? Ja toch? Niet dan? Ik begreep het juist zo goed. *A man's gotta do what a man's gotta do*. Dat snap ik toch. Een leven lang met mij. Ja, nee, dat is leuk. Ha! Alsof ik niet weet dat dat niet leuk is. Ik ben al een levenlang met mezelf, natuurlijk is dat niet leuk. Daar word je knettergek van. Goed, ik ben wel aardig, en best lekker. Er zijn wel een paar dingen aan me die de moeite waard zijn, maar ja, er is zoveel de moeite waard op de wereld. De wereld is zo groot. En door de globalisatie ligt al dat waardevols voor het grijpen. Keuzes te over. Het was natuurlijk hopeloos ouderwets om te denken dat we voor altijd bij elkaar zouden blijven, wat een gekkigheid. Ik had er echt geen scène van gemaakt. Misschien een beetje. Maar ja, hallo, mag het? Hij is de liefde van mijn leven. Wanneer ik bijna beneden ben, glijd ik van een tree en val voorover met mijn knieën op de kokosmat en knal ik met mijn voorhoofd tegen de deur. Het geeft me een excuus om heel hard in huilen uit te barsten.

Mevrouw Groentebroer steekt haar hoofd om de deur en rent jammerend, zo snel ze kan de trap af.

'Kind, wat zeg ik nou altijd. Kijk nou toch uit met die steile trappen, ik heb het je al zo vaak gezegd, je maakt nog eens een doodsklap. Nou gaan we het meemaken, zal ik ook mijn nek nog breken.' Hijgend komt ze beneden. Ze helpt me overeind.

'Het gaat wel, het is meer de schrik,' snik ik over mijn toeren.

'Kom even boven, dan zet ik een koppie thee voor je.'

'Nee, het gaat wel, laat me maar. Ik ben op weg naar Janine.'

'Op je blote voeten?'

'Ja, nou ja, het is maar een klein stukje naar de overkant. Het gaat wel weer, echt.' Ik herstel me en kijk haar zo opgewekt mogelijk aan. 'Er is niets aan de hand. Heus niet. Dank u wel. Laat me maar.'

'Oké, kind. Maar als er iets is dan kun je bij me aankloppen, hè? En knap je eige effe op, zo kun je de deur niet uit, ik gaan nooit de deur uit zonder Max Factor. Ik zeg altijd maar zo: ik sta op en Max Factor doet de rest.'

'Ja, dank u wel.'

Ze loopt de trap weer op en ik open de brievenbus, geen briefje. Ik ga op de trap zitten en wrijf over mijn pijnlijke knieën. Ik heb een bult op mijn voorhoofd, net als toen ik hem leerde kennen. Dat is mooi, dat maakt de cirkel mooi rond. Daar hou ik van.

Op blote voeten loop ik naar de overkant en bel bij Janine aan. Ik doe een paar stappen achteruit en roep haar naam. De balkondeuren staan open, maar er komt geen reactie. De familie van Mads, bij wie hij logeert, woont om de hoek. Zal ik er even naartoe lopen? Ik kan toch gewoon aanbellen en vragen of hij thuis is? Dag pleegmoeder van Mads, komt Mads buiten spelen? Maar als hij er niet is, ga ik af als een gieter. Dan sta ik voor schut. Dan ben ik een wanhopige vrouw die is gedumpt, maar die dat nog niet in de gaten heeft, wat me een nog grotere loser maakt. En nog wanhopiger. Waarom is er zo weinig voor nodig om de dingen zoveel erger te maken? Waarom is het zo lastig om de juiste keuzes te maken en liggen de verkeerde keuzes voor het oprapen? Waarom is het zoveel gemakkelijker om iets af te breken dan om iets op te bouwen, net als een gebouw dat wordt opgeblazen. Destructieve krachten zijn zoveel sterker en werken ook sneller dan constructieve krachten. Wat jaren kost om te bouwen, is met één druk op de knop verwoest. En in de liefde is het niet anders. Het is een natuurwet die ik niet begrijp.

Misschien is hij gisteravond naar de film gegaan, heeft hij zijn telefoon uitgezet en is hij vergeten hem weer aan te zetten. Het zou toch raar zijn dat hij zomaar weg is gegaan zonder iets te zeggen. 'Ik snap het niet, ik snap het niet,' prevel ik voor me uit, terwijl ik me op het stoepje voor het huis van Janine laat zakken. Ik leg mijn handen weer op mijn kloppende knieën. Een stukje verderop zie ik hoe een lelijke, dikke man in de glanzende Peugeot 504 stapt. Dat weten we dan ook weer. Al mijn gebeden worden verhoord. Ik kijk omhoog, naar het huis waar ik woon. En waarin ik intussen innig heb liefgehad en de sterren van de hemel heb gevreeën. De balkondeuren staan nog open en ik zie dat Sammie door de spijlen van het Franse balkon naar me staat te kijken, en te miauwen. Het is voor het eerst dat ik hem hoor miauwen. Met zijn veiligheid heeft hij ook de moed gevonden om een keel op te zetten. Hij schreeuwt het uit. Laat me niet alleen. Laat me niet alleen.

Wanneer ik boven ben, neem ik Sammie in mijn armen en fluister geruststellende woordjes in zijn oor. Door hem gerust te stellen word ik zelf ook rustig. Ik zet hem op bed, lekker in het zonnetje.

Misschien heeft Mads een e-mail gestuurd. Soms stond hij eerder op om me een e-mailtje te sturen. Hij was zo lief, zo ontzettend lief. Ik heb geen nieuwe berichten in mijn inbox. Ik probeer hem weer te bellen, maar zijn nummer is nog steeds buiten gebruik. Waarom heeft hij zijn voicemail niet aanstaan? Misschien is zijn telefoon in het water gevallen, in de gracht. Hij is een pilsje gaan drinken bij een café aan een gracht, hij wilde mij bellen en ploep, mobieltje in het water. Maar dan zou hij toch langskomen? Misschien komt hij nog langs.

We hebben elkaar de afgelopen drie weken elke dag gesproken en elke dag gezien. Elke dag gevreeën. Soms ging hij er een paar uur op uit, om mij te laten werken of gewoon, om me even alleen te laten zijn. Zodat ik mezelf een uurtje door mijn persoonlijke wasstraat kon halen. Na een paar uur kwam er dan een sms'je binnen.

Ben je al klaar? Ik mis je.

En dan bleek dat hij al in de straat stond te wachten tot ik de deur zou opentrekken. '*Coffee, tea or me*,' zei ik dan als hij met twee treden tegelijk de trap op kwam.

'Verkeerde volgorde,' was zijn antwoord om me daarna het bed in te duwen.

En nu is zijn nummer buiten bereik. Geen sms, geen e-mail. Stilte, oorverdovende radiostilte.

34

BLUE SUNDAY

Ik probeer Janine te bellen, maar ik krijg haar voicemail aan de lijn. Ik voel er niets voor om mijn heil te zoeken bij de onderbuurvrouw, die me met clichés om de oren zal slaan. Ik heb behoefte aan interesse, niet aan nieuwsgierigheid. Ik wil een intelligent gesprek met iemand die me kent en om me geeft, die snapt wat ze moet zeggen om me beter te laten voelen. Tinke.

'Hallo lieverd, dat is lang geleden,' klinkt haar stem door de telefoon.

'Ja, hoi, met mij.'

'Ja dat zag ik al. Hoe is het met je?'

'Goehoed,' zeg ik zo overtuigend mogelijk. 'Heel goed. Ben je thuis en kan ik even langskomen?'

'Ja, ik ben thuis.'

'Is Thomas er niet?'

Ze begint te lachen. 'Wat denk je zelf? Thomas is nooit thuis, dat weet je. Hij is op tournee. Je belt op het juiste moment. Ik zit heerlijk in de tuin en ik heb koekjes gebakken. Kom gezellig deze kant op, zou ik zeggen. Wil je blijven eten?'

'Ja, misschien wel, lekker. Ik stap nu in de auto.'

'Goed, schat, tot zo.'

Waar heb ik mijn auto gezet? Ik sta op straat te peinzen. Janine heeft in goed vertrouwen mijn auto op haar naam gezet zodat ze een parkeervergunning kon aanvragen. Ik heb mijn auto al een paar dagen niet gebruikt. Het is hier altijd zoeken naar een plaatsje. Soms moet ik hem een paar straten verder zetten. Op zulke momenten blijkt dat ik op een eekhoorn lijk. Ik parkeer mijn auto, maar vergeet waar ik hem heb neergezet. Wanneer heb ik hem voor het laatst gebruikt? Ik heb geen idee. Dat wordt de buurt doorwandelen tot ik hem ergens kwispelend zie staan. Ik wandel een stukje de straat uit en voor ik er erg in heb, sta ik voor het huis waar Mads logeert. Ik sta aan de overkant en kijk naar de ramen van de eerste etage. De witte vitrage bolt naar buiten. Zijn pleegouders heb ik ontmoet, de tien jaar jongere broer van zijn vader en diens vrouw hebben hem destijds opgevangen. Ze konden tot hun grote verdriet zelf geen kinderen krijgen. Andries en Mylène, schatten van mensen. Hij kwam in een warm en welkom nest terecht. Een paar dagen nadat we elkaar hadden leren kennen, hebben we met hen theegedronken. Hij wilde wat schone kleren en scheerspullen ophalen. Misschien moet ik toch even aanbellen. Maar wat als hij weg is? Dan moeten die schatten van mensen me vertellen dat hun pleegzoon zijn koffer heeft gepakt. En dan moet ik ze vertellen dat hij is weggegaan zonder dat aan mij te vertellen. Pijnlijk. Pijnlijk.

Ik zie geen beweging in huis. Het is zondag. Het is stil op straat.

Ik probeer me nogmaals te herinneren wanneer ik mijn auto voor het laatst heb gebruikt. Was het niet afgelopen donderdag? Zijn we toen niet gaan eten in Café Bern? Om Mads zijn favoriete gerecht, entrecote Bern, te eten? Het vleesgerecht met het raadselachtige sausje, dat op een rechaud wordt geserveerd en dat al jaren exact hetzelfde smaakt. Alsof het met scheikundige precisie wordt bereid. Het eerste weekend dat we samen waren, heb ik hem ermee naartoe genomen. Vertrouw me nou maar, antwoordde ik op zijn aanvankelijke scepsis toen de rechaud op tafel werd gezet. Toegegeven, het etablissement ziet er níét uit. Het geeft een nieuwe dimensie aan het begrip bruin café. Het café bestaat al zo lang en heeft al zo lang geen opknapbeurt gehad dat de muren van het vuil en de rook zijn bruin gekleurd, maar het eten maakt alles goed. Alleen waar heb ik de auto gezet toen we thuiskwamen? Denk na, wat hebben we na het eten gedaan? Ik heb geen zin om half Amsterdam-Zuid rond te lopen op zoek naar mijn auto. Ik weet het al. We zijn nog iets gaan drinken in 't Blauwe Theehuis en we zijn daarna hand in hand naar huis geslenterd. We hebben de auto bij de ingang van het Vondelpark laten staan. Bij de Emmalaan.

Ik kruip in de auto en mijn oog valt op een briefje dat op het dashboard ligt.

Het is een lief verhaaltje, dat hij een keer onder mijn ruitenwisser heeft achtergelaten, waarin hij me vergeleek met de goudkoorts van Klondike, *a place of wealth and prosperity sure to find gold*. Ik bijt op mijn lip en start de motor.

35

DOM KONIJN

Wanneer ik langs mijn oude huis rijd, werp ik een blik in de tuin. Ook dat nog, Marc zit in de tuin aan de grote houten tafel de krant te lezen. Op de tafel staat een fles wijn. Als ik iets verder doorrijd en me een beetje over het stuur buig, zie ik iets blonds, met een zonnebril op en met een boek in de hand, in de tuinstoel liggen. Gelukkig liggen ze niet, zich onbespied wanend, te rollebollen. Een mens kan maar zoveel aan op een dag. Ik hoop niet dat Marc me voorbij heeft zien rijden. Ik heb geen zin om met hem te praten, niet nu. Tinke heeft hem vast verteld over mijn nieuw gevonden geluk. Nonchalant zal ze contact met hem hebben gezocht via de heg. Ze zal iets hebben gezegd over de rozenstruiken die er zo schitterend bij staan en handig zal ze het gesprek in mijn richting hebben gestuurd, zodat ze het hem met veel enthousiasme kon vertellen. Liefst binnen gehoorsafstand van Eva. Als Marc me ziet zal hij me vragen: 'En hoe is het met die ontdekkingsreiziger van je?' Of iets anders denigrerends.

En dan zal ik liegen. Glashard. Over hoe geweldig het is en dat ik samen met hem op Bora Bora ga wonen in een idyllisch hutje aan zee. Dat ik de schildpadeieren die hij telt, ga fotograferen en een reportage ga maken: de zeeschildpad in wording. Te beginnen met het uitkomen van het ei, hoe het schildpadje mij zal aankijken en mij voor zijn moeder zal aanzien en hoe ik achterstevoren naar zee zal lopen met mijn camera in mijn hand om het schildpadje naar het water te leiden. Ik zet mijn camera op motordrive om het mooiste plaatje te vangen; het moment dat hij de zee raakt en instinctief weet dat hij thuis is. Mooie, ontroerende foto's zal ik maken. Ik zal het hem met zoveel overtuigingskracht vertellen, dat Marc me nauwelijks zal herkennen. Of dat hij zich afvraagt of het wel waar is, dat kan ook.

Liefste, mijn liefste. Waar ben je? Waarom ben je weggegaan, waarom ben je niet bij me gebleven? Waarom, waarom, waarom? Ik snap er geen jota van.

Wanneer ik de auto op het grindpad parkeer, komt Tinke uit de keuken gelopen. Ze spreidt haar armen om me te verwelkomen. Ik laat me omhelzen en zeg niets. Ik laat me wiegen. Ze aait over mijn rug.

'Lieverd. Wat is er? Wat is er gebeurd?'

Ik hou mijn mond. Als ik erover praat, wordt het reëel. En dat moment wil ik zo lang mogelijk uitstellen.

'Wil je thee?'

Wil je thee of wil je weg? hoor ik Herman van Veen zingen in mijn hoofd. Te hooi en te gras dat was wat het was. En de tranen lopen al in Tinkes nek.

'Kom maar, ik zet even thee voor je. Heb je zin in sterrenmix?'

Ze neemt me mee de keuken in. Uit het zicht van Marc.

'Als je het niet wilt vertellen, hoeft het niet, hoor. Dan drinken we thee met koekjes.'

Ik loop achter haar aan de keuken in, begeleid door het nodige geklingel. Ik ga aan tafel zitten, dicht bij de schaal zelfgebakken roomboterbiesjes. Ik steek er een in mijn mond.

'Lekker,' murmel ik.

'Heb je ruzie gehad?'

Dat ligt voor de hand, om te denken dat ik ruzie heb gehad. Met Marc had ik altijd ruzie. Maar met Mads heb ik nooit ruziegemaakt. We kwamen niet eens in de buurt van een ruzie. Ik voelde zelfs geen aanvechting om ruzie te maken. Alles ging gemakkelijk en was harmonieus.

'Nee, er is niets gebeurd. Hij is gewoon weg. Zomaar. Floep, weg.' Ik maak een handgebaar alsof ik het over een goocheltruc heb.

'Sinds wanneer?'

'Gisteren.'

'Maar, lieve schat, dan belt hij straks toch.'

'We hebben elkaar elke dag gezien, de afgelopen weken. En als hij weg was, belde hij om de haverklap of stuurde een bericht. Nu is hij niet bereikbaar op zijn telefoon en hij laat ook niets van zich horen.'

'Dat is wel vreemd. Hij kwam op mij niet over als een charlatan. Dan had ik het meteen gezegd.'

Ze zet de thee op tafel, pakt een groot stuk chocolade met rozijnen en nootjes uit de kast en breekt het in stukken.

'Hier. Biologische chocolade. Heel erg lekker. Daar knap je van op,' zegt ze, terwijl ze een enorm stuk in haar eigen mond propt en me aankijkt. Ze wijst op de schaal met chocoladebrokken ten teken dat ik haar voorbeeld moet volgen. Ik slik mijn tweede roomboterbiesje door. Terwijl we allebei op de chocolade met rozijnen en nootjes kauwen, kijken we elkaar aan. Alsof het antwoord ergens tussen ons in hangt, het moet zich alleen nog aan ons openbaren.

'Hmm,' mompelt ze met volle mond. 'Er is niets gebeurd, zeg je? Vreemd.' Aan de zijkant van de tafel ligt tegen de muur een verzameling verschillende tarotspellen opgestapeld. Engelkaarten, orakelkaarten, de universele goddess tarot, de grote en de kleine arcade.

Ze pakt een lichtblauw pak van de stapel, maakt het doosje bedachtzaam open en begint de kaarten langzaam te schudden.

'Er is niets gebeurd, zeg je?'

'Nee.'

'Maar dat is toch niet logisch?'

'Toch is het zo.'

'Wanneer was het nog leuk?'

'Gisteren.'

'Nog seks gehad?'

'Ja, gisternacht.'

'Goed?'

'Heel goed.'

'En toen?'

'Toen ging hij croissants halen en kwam terug met een boek dat hij had gekocht, daarom denk ik dat hij is weggegaan.'

Ze kijkt op.

'Wat voor boek?'

'*501 Must visit Islands*.'

'Een reisboek?'

'Ja.'

'Dus toen dacht jij, die gaat weer op reis.'

'Ja, dat lijkt me logisch.'

'Heel logisch, maar wat jij als logisch beschouwt, hoeft niet logisch te zijn. Ga verder. Wat gebeurde er toen?'

'Nou, toen ging hij koffiezetten. En ik vroeg me af wanneer hij het me zou vertellen.'

'Wanneer hij wat zou vertellen?'

'Dat hij weg zou gaan.'

'Maar dat weet je toch niet.'

'Wat niet?'

'Je weet toch niet zeker dat hij weg zou gaan? Heb je het hem gevraagd?'

'Nee. Hij had dat boek toch gekocht.'

'Maar je weet toch niet waarom.'

'Dat is toch duidelijk.'

'Waarom?'

'Waarom?'

'Ja, waarom? Hoe kun je absoluut zeker weten dat dat zo is?'

'Nou... omdat hij altijd op reis is.'

'Dat is toch een conclusie die nergens op gebaseerd is? Misschien heeft hij dat boek voor iemand anders gekocht, of omdat hij een eiland wilde uitzoeken waar hij met jou naartoe wilde gaan of misschien wilde hij het jou cadeau doen. Ik kan nog wel honderd redenen bedenken waarom iemand een boek koopt. Waarom denk jij meteen dat hij weg zal gaan en waarom vraag je hem dat dan niet?'

'Dat weet ik niet,' zeg ik met een klein stemmetje. 'Maar hij is toch weg? Ik heb toch gelijk?'

'Isabelle, laten we de dingen even op een rijtje zetten. Zijn telefoon is niet bereikbaar en je hoort niets van hem, meer weten we niet. Laten we niet te snel conclusies trekken. Vertel verder. Jij dacht dat hij weg zou gaan, en toen?'

'Nou, toen ben ik de krant gaan lezen en hij is op een gegeven moment weggegaan.'

'Is dat alles? Jullie zijn gewoon leuk, lief en vrolijk uit elkaar gegaan?'

'Nee, dat niet.'

'Hoezo, dat niet?'

'Nou, ik deed wel heel koel, denk ik.'

'Goed, laten we de film even terugdraaien en nader analyseren. Jij leest de krant en jullie drinken koffie. Deed hij anders dan anders?'

'Ja, nee, ik weet het niet. Hij was vrolijk, hij liep te zingen.'

'Hij liep te zingen. En wat dacht jij toen?' Tinke kent me beter dan goed voor me is.

'Dat hij blij was om weg te gaan.'

'Waarom zou hij daar blij om zijn?'

'Omdat...'

'Ja, zeg het maar,' zegt Tinke streng.

'Omdat het niet leuk is om bij me te blijven.'

'En dat weet je zeker? Hoe kun je zeker weten dat dat waar is?'

'Omdat hij in dat boekje zat te lezen. En daarna werd hij opeens heel stil en zenuwachtig en volgens mij wilde hij het toen zeggen, dat hij weg wilde gaan. Hij kwam op bed zitten en pakte mijn hand en toen zei hij iets over getrouwde mensen, dat die langer leven en gelukkiger zijn.'

'En wat zei jij toen?'

'Het huwelijk is een gevangenis. Trouwen is rouwen. Of zoiets.'

Tinke kijkt me aan. Haar gezicht verstart.

'Je hebt wát gezegd? Nou, deze hebben we niet meer nodig.'

Ze gooit de tarotkaarten over haar schouder de keuken in. De kaarten dwarrelen alle kanten op. Het is de eerste keer dat ik Tinke boos zie. 'Dom konijn!' roept ze. 'Hoor je nou wat je zegt? Het is dat je zo'n lieve schat bent, want anders had ik je nu een draai om je oren gegeven. Heb je er ooit weleens bij stilgestaan dat mannen ook een hart hebben? Dat mannen het ook moeilijk vinden om hun hart op een presenteerblaadje te leggen? Heb je er ooit bij stilgestaan dat mannen ook gevoel hebben? Die jongen, die lieverd, legt zijn hart op een presenteerblaadje en jij walst er met je maat negenendertig overheen.'

'Hoe bedoel je?'

'Kind, moet ik je het nou echt uitleggen? Dat is toch een aanzet tot een huwelijksaanzoek! Dat snap je toch wel? Of zat je weer zo opgesloten in dat vreselijke hoofd van je dat je niets hoorde, behalve jezelf. En dan ben je jezelf ook nog eens de grond in aan het boren. Ik kan je wel wat doen. Ik zou het er wel uit willen slaan bij je, weet je dat. Gek word ik ervan. Ik zeg nog zo, niét denken, en wat doe jij? Denken! Ik zeg nog zo, blijf in het moment en wat doe jij?'

'Maar ik wás in het moment.'

'Nee, schat, dat was je niet.'

'Ik was hartstikke in het moment. Het was alleen niet zo'n leuk moment,' stribbel ik tegen.

'Ja, hou nou maar op met die onzin. Je hebt die arme jongen op z'n hart getrapt, een klap in zijn gezicht heb je hem gegeven. Hoe denk je dat jij zou reageren als je... nou ja, laat ook maar. Je bent ervan uitgegaan dat hij het uit zal maken en je wilde hem voor zijn. Je hebt hem afgewezen voordat hij jou kon afwijzen, dát heb je gedaan. Je zag beren op de weg en bent met een jachtgeweer op pad gegaan om ze af te schieten. Je hoorde iets ritselen in het struikgewas en toen heb je geen beer, maar je bloedeigenste Lassie doodgeschoten! Dát heb je gedaan! Wat doe je hier nog? Ga het goedmaken!'

'Maar ik weet niet waar hij is.'

'Zorg dan dat je daar achter komt. Wat kan mij het schelen. Doe iets! En hou op met domme vragen stellen. Kom mee naar boven dan geef ik je een reikibehandeling om je energie weer in balans te brengen want je bent goed in de war, jij. En daarna ga je nadenken over wat je gaat doen. Nou, hop, kom mee. Naar boven.'

Boven op de bank laat ze haar handen vlak boven mijn gezicht zweven. Ik voel de warmte van haar handen en ruik de geur van Mitsouko. Wederom zijn er een paar verkeerde wissels omgegaan in mijn hoofd en ik gedroeg me zoals ik was toen ik nog getrouwd was. Ik heb gedaan alsof. Alsof ik het niet erg vond dat Mads zou weggaan, alsof ik niet om hem gaf, alsof ik niet de rest van mijn leven bij hem wilde blijven. Ik gedroeg me zoals ik dacht dat ik me moest gedragen. Van mij zul je geen last hebben. Doe waar je zin in hebt. Stoor je niet aan mij. Beter nog, doe maar alsof ik er niet ben. Ik ben veilig als ik mijn verlangen naar liefde niet laat zien. Krassen op de ziel. Krassen waar de naald blijft hangen.

36

CHANGE YOUR HEART

Ik stap in mijn auto en start de motor. Dan wordt de deur aan de passagierskant opengedaan.

'Hé, hallo, zeggen we geen gedag meer?'

Marc steekt zijn hoofd in de auto. Zijn gezicht is bruin, zijn haar door de war.

'Hé, hallo.' Ik wilde naar huis. Ik zet mijn zonnebril op.

'Ik zag je auto ineens staan. Hoe gaat het met je?'

'Goed.'

Hij komt naast me in de auto zitten. Hij heeft een bermuda aan en draagt witte sokken in zijn gympies. Ik zet de motor af.

'En met jou?'

'Ook goed.'

'Kan Eva een beetje wennen in ons huis?'

Het is eruit voor ik er erg in heb. Ik wil niet stekelig zijn. Ik ben niet jaloers en nu lijkt het of ik dat wel ben, maar ik kan het gewoon niet hebben dat ze in mijn huis woont. Wat ik met zoveel liefde tot in de kleinste details heb ingericht. Al mijn creativiteit kon ik erin kwijt. De samenstelling van de kleuren op de muren, in combinatie met de gordijnen. Sober en toch sfeervol. Smaakvol. En daar heeft zij nu plezier van. Ik ben jaloers vanwege mijn huis.

'Heeft Tinke het je verteld?' vraagt Marc.

'Nee, mijn moeder. Je weet toch wel dat mijn moeder je gebeld heeft en toen Eva aan de telefoon kreeg?'

'O, dat is waar ook, ja. Sorry daarvoor.'

'Geeft niet.' Mijn handen draaien om het houten stuur.

'Tinke heeft me over jouw dr. Livingstone verteld.'

Of ik mijn pappenheimers ken.

'Ja,' zeg ik kortaf.

'Gaat het goed?'

'Heel goed. Ik ben heel gelukkig.' Mijn stem schiet de hoogte in. Ik laat het verhaal van het hutje op het strand van Bora Bora maar achterwege. Ik duw mijn zonnebril wat vaster op mijn neus.

'Heb je al een huis? Zullen we je spullen een keertje verhuizen?'

'Nee, ik heb nog steeds geen vaste plek, als je het goedvindt, wacht ik er nog even mee. Oké?'

'Ja, prima.'

'Ik ben blij voor je. Ik ben blij dat je het fijn hebt met iemand.' Subtiel werk ik naar het einde van het gesprek toe.

'Ik ook voor jou.'

'Is het toch nog allemaal goed gekomen.'

'Ja.'

'Wie had dat kunnen denken?'

'Ik niet.'

'Ik ook niet.' Ik schiet in de lach om de absurditeit van de dialoog. Marc maakt geen aanstalten om de auto uit te stappen, dus zeg ik: 'Ik moet naar huis, Marc. Je begrijpt, dr. Livingstone zit op me te wachten. O, en jij moet er ook vandoor, zie ik.'

Eva staat in het gat van de heg met haar zonnebril in haar hand naar de auto te turen.

Ik zwaai. Zonder terug te zwaaien draait ze zich om en beent terug de tuin in.

'Ik zou maar gaan als ik jou was.'

'Ja.'

'Nou, dag.' Ik geef hem een zoen op zijn wang.

Hij kijkt me even aan. Ik glimlach een beetje onhandig zijn kant op. Ik klingel met mijn autosleutels ten teken dat hij het voertuig nu toch echt moet verlaten.

Hij slaat zijn arm om me heen. Ik hou hem even vast.

'Het ga je goed.'

'Ja, jij ook, joh.'

Hij loopt naar het gat in de heg en zwaait. Ik zwaai terug en rijd voorzichtig in zijn achteruit het pad af.

Dit is mijn geheim, het is heel eenvoudig: Alleen met het hart kun je goed zien. Het wezenlijke is voor de ogen onzichtbaar.

– Antoine de Saint-Exupéry

37

FOLLOW THROUGH

Onderweg naar huis luister ik naar het cd'tje dat al twee weken in mijn cd-speler zit. Mads heeft het voor me gebrand. Allemaal nummers die ik niet kende en die volgens hem onmisbaar waren voor mijn verzameling.

Het dringt nu pas tot me door dat deze verzameling nummers meer is dan alleen maar een aanvulling op mijn muziekbibliotheek. Hij heeft hetzelfde gedaan als ik. Hij heeft me iets proberen te vertellen. We hebben het over niets anders gehad dan hoe heerlijk het 'nu' was en nooit met een woord gerept over de toekomst, over bij elkaar blijven. Misschien heeft Tinke gelijk en was hij net zo bang als ik om dat uit te spreken. *Follow through* van Gavin DeGraw en *Make you feel my love* in de uitvoering van Bob Dylan. Mooie nummers die ik niet kende. Ik heb ze eindeloos meegezongen. Ze pasten zo mooi bij mijn situatie. Ik zong ze voor hem, maar hij wilde mij er iets mee vertellen. Ik ben écht een dom konijn.

Oh, this is the start of something good
Don't you agree?
I haven't felt like this in so many moons
You know what I mean?
And we can build through this destruction
As we are standing on our feet

So, since you wanna be with me
You'll have to follow through
With every word you say
And I, all I really want is you

You to stick around
I'll see you everyday
But you have to follow through
You have to follow through

Het is grappig hoe je, naarmate je ouder wordt, steeds meer liedjes gaat begrijpen. Behalve *chirpy chirpy cheep cheep*, dat zal ik nooit begrijpen.

Wat te doen? *Follow through. I have to follow through.* Ik weet niet eens zeker of Tinke het bij het rechte eind heeft. Wie zegt dat hij niet toch gewoon is weggegaan en liever niets van me hoort? Waarom vul ik alles in om vervolgens te doen wat ik denk dat er van me wordt verwacht? Dat zouden we niet meer doen. Dat is waar ook. Wat wil ik? *That's the question.*

Ten eerste wil ik graag dat Tinke gelijk heeft en wil ik degene zijn die de fout heeft gemaakt, want dan kan ik die ook rechtzetten. *At the risk of being wrong I want to be right.* Het lijkt uit een liedje te komen, maar dat is niet zo. Ik geloof dat ikzelf zojuist een liedje heb bedacht. Een liedje. Wat zegt meer dan een liedje. Wij zeiden alles met liedjes. We stuurden elkaar sms'jes met zinnen uit liedjes. *You made me so very happy, I'm so glad you came into my life.* Dat werk.

Ik heb een idee.

Thuis ga ik achter mijn laptop zitten. Ik maak een lege map aan op mijn bureaublad en sleep vanuit mijn iTtunes-bibliotheek een aantal nummers om een afspeellijst samen te stellen.

Oh! Darling	The Beatles	*Abbey Road*	Pop
Please Forgive Me	David Gray	*White Ladder*	Pop
Everybody's Gotta Learn Sometimes	Beck	*Eternal Sunshine of the Spotless Mind*	Rock
God Only Knows	The Beach Boys	*Pet Sounds*	Acid
Make You Feel My Love	Adele	*19*	Pop
Feel like A Natural Woman	Carole King	*Tapestry*	Pop
Green eyes	Coldplay	*A Rush of Blood to the Head*	Easy listening
Touch Me	The Doors	*Soft Parade*	Rock
You Do Something to Me	Paul Weller	*Stanley Road*	Rock
Only with You	The Beach Boys	*Holland*	Rock
Come on Over (Turn Me On)	Isobel Campbell & Mark Lanegan	*Sunday at Devil Dirt*	Alter-native & Punk

This says it all.

Ik voeg de lijst als bijlage in een e-mail en druk op verzenden. Dan laat ik het nu over aan het lot.

Een paar dagen later sta ik op straat mijn Alfa te wassen. Mijn mobieltje piept in mijn kontzak. Ik droog mijn handen af aan mijn spijkerbroek en lees het berichtje.

Change your heart
Look around you

Ik draai me om. Mads staat tegen de boom tegenover mijn huis geleund.

Hij lacht.

Met dank aan

Maurice, Cynthia, Tom, Conchita, Joop, Dylan, Oda, Inez, Anke, Bart, Nancy, Inge, Ethel, Ton, Silvia, Freija, en mijn warmtebronnetjes Lotte, Floor, Brecht, Thor, Finoe, Nouba en Bonnie.

Met speciale dank aan

Annemarie voor de gouden tip. Mijn bijzondere vriend Henk die altijd klaar stond om vragen te beantwoorden en voor zijn nimmer aflatende liefde, steun en aanmoediging. Annemieke voor haar enthousiasme, humor, het meedenken en de stem van mevrouw Groentebroer. Mijn moeder voor haar zorg en geduld met haar jongste dochter en voor alle kopjes thee. Bobby, aanstichter van dit alles. Joop en Juliette voor het vertrouwen. Yvette, die me vanaf haar wolk heeft geïnspireerd.

Iedere gelijkenis met bestaande personen berust op louter toeval, maar zonder iedereen die ik in mijn leven ben tegengekomen had ik dit boek niet kunnen schrijven.

Verantwoording

In de e-mail van Diederik refereer ik aan 'Ze mag 'm hebben', een regel afkomstig uit het lied ''t Is over' geschreven door Annie M.G. Schmidt en gezongen door Conny Stuart uit de musical *Heerlijk duurt het langst.*

'Zeg maar ja tegen het leven anders zegt er het leven nog nee' is afkomstig uit de sketch 'Frater Venantius, de zingende frater' van Wim Sonneveld.

'Een avondspin brengt zegen in' is afkomstig uit de strip *Jan, Jans en de kinderen.*

'Ik wil van je àhàf' is een *running gag* geworden; ik heb hem overgenomen van Peter van Straten uit de bundel *Moeder, ik ben niet gelukkig.*

De sketches uit de bundel *Het kleinste hondje ter wereld* van Dimitri Frenkel Frank hebben me geïnspireerd in het schrijven van de dialogen met vervelende mannen. Uit die bundel komt ook de mop van Sam en Moos en 'obiebo'.

Ik bedank alle makers van de volgende nummers en prachtige zinnen die de soundtrack vormen van dit boek:

'Let me tell you how it started' uit *Walking in the rain with the one I love* van Love Unlimited (pag. 17)
'Rock the boat' uit *Rock the boat* van The Hues Corporation (pag. 24)

'Anger is an energy' uit *Rise* van Johnny Rotten (pag. 29)
Because the night van Patti Smith (pag. 39)
How do you like you eggs in the morning van Dean Martin (pag. 39)
'And who can bear to be forgotten' uit *Ricochet* van David Bowie (pag. 42)
I am free van The Who (pag. 43, 83)
I love the sound of breaking glass van Nick Lowe (pag. 46)
Leavin' this town written by Carl Wilson, Michael Love, Rechard Fataar and Terence Chaplin; © 1972, RE 2000, Brother Publishing Company; All Rights Reserved; Used By Permission (pag. 55)
'When the barman said "What're you drinking?" I said marriage on the rocks" uit *Don't hang up* van 10 CC (pag. 59)
The turn of the cards van Renaissance (pag. 69)
'Somewhere in my youth or childhood' uit de musical *The Sound of Music* (pag. 79)
'Rudolph Valentino looks very much alive' uit *Celluloid heroes* van The Kinks (pag. 107)
'In a land called fantasy' uit *Fantasy* van Earth Wind and Fire (pag. 113)
I follow the sun uit het gelijknamige liedje van The Beatles (pag. 126)
Itsy Bitsy Spider van Carly Simon (pag. 141)
Love Supreme van Robbie Williams (pag. 147)
'You're the closest to heaven that I'll ever be' uit *Iris* van The Goo Goo Dolls (pag. 151)
Papa was a rolling stone van The Temptations (pag. 157)
Wherever I lay my hat van Paul Young (pag. 157)
I'm the wanderer van Dion (pag. 157)
'I bet you say that to all the boys' uit *You took the words right out of my mouth* van Meat Loaf (pag. 157)
I'm working on a dream van Bruce Springsteen (pag. 180)
I am a rock van Simon & Garfunkel (pag. 181)
'And again I'm afraid of one thing' uit *Between my legs* van Rufus Wainwright (pag. 185)
This is the first day of my life van Bright Eyes (pag. 185)
'It was nice but now it's gone' uit *The arrest* uit de musical *Jesus Christ Superstar* (pag. 187, 193)

'I go to sleep and imagine that you're there' uit *I go to sleep* van The Pretenders (pag. 195)
All things must pass van George Harrison (pag. 195)
Blue Sunday van The Doors (pag. 201)
Follow through by Gavin DeGraw; © Warner-Tamerlane Publishing Corp. and G. DeGraw Music, Inc. Administered by Warner/Chappell Music Holland B.V. (pag. 215, 216)
Make you feel my love van Bob Dylan (pag. 215)
Chirpy chirpy cheep cheep van Middle of the Road (pag. 216)
You've made me so very happy van Blood Sweat & Tears (pag. 216)

De citaten, waarvan ik dankbaar gebruik heb gemaakt, zijn terug te vinden in de volgende werken:

Pag. 7, citaat van Hugo Claus uit *Een grote passie moet je volgen*, Bibeb, Uitgeverij Balans, 1993, Amsterdam.

Pag. 7, *Through the Looking Glass*, Lewis Carroll, Vintage Classics, 2007, Londen.

Pag. 15, *Hoe red ik mijn eigen leven*, Erica Jong, De Arbeiderspers, 1977, Amsterdam.

Pag. 95, *The Secret* (dvd), TS Productions LLC, 23 april 2007.

Pag. 191 citaat van Krishnamurti uit *Hoe red ik mijn eigen leven*, Erica Jong, De Arbeiderspers, 1977, Amsterdam.

Pag. 213 *De kleine prins*, Antoine de Saint-Exupéry, Donker, 2005, Rotterdam.

Mochten er ondanks alle zorg die is genomen de rechthebbenden van citaten en songteksten te achterhalen en te vermelden alsnog aanvullingen of opmerkingen zijn, dan verzoeken wij u vriendelijk contact op te nemen met A.W. Bruna Uitgevers. Voor contactinformatie zie www.awbruna.nl.